이 책의 구성

동물의 세계에 관련된 〈동물〉, 〈새끼동물〉, 〈곤충과 벌레〉, 〈새〉의
4개 라운드로 구성되어 있습니다.

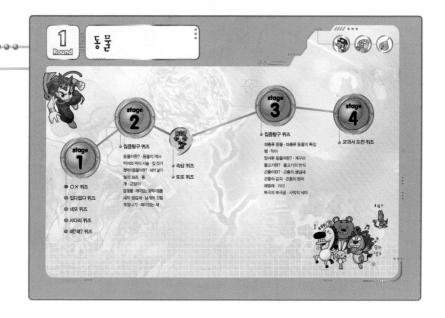

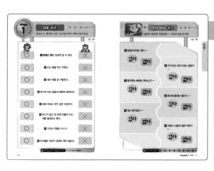

Stage 1

OX 퀴즈, 있다없다 퀴즈, 네모 퀴즈,
사다리 퀴즈, 왜?왜? 퀴즈 등 다양한
퀴즈로 주제에 대한 흥미를 유발하는
단계입니다.

Stage 2

각 주제에서 꼭 알아야 내용 48가지를
퀴즈를 통해 재미있게 알아가는 단계입
니다.

Stage 3

각 주제에서 꼭 알아야 내용 48가지를
퀴즈를 통해 재미있게 알아가는 단계입
니다.

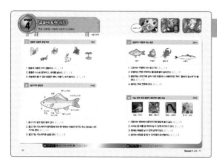

Stage 4

각 주제에 대한 교과서 내용을 간단한
○✕ 퀴즈, 네모 퀴즈 등으로 풀어보는
단계입니다.

차례

◉ Round 1 - 동물

Round 2- 새끼동물

차례

◉ Round 3 - 곤충과 벌레

 # Round 4 - 새

1 Round

동물

stage 1

- ○× 퀴즈
- 있다없다 퀴즈
- 네모 퀴즈
- 사다리 퀴즈
- 왜?왜? 퀴즈

stage 2

집중탐구 퀴즈

동물이란? · 동물의 역사
먹이와 먹이 사슬 · 집 짓기
젖먹이동물이란? · 새끼 낳기
털과 꼬리 · 똥
개 · 고양이
집 동물 · 재미있는 젖먹이동물
새의 생김새 · 날개와 깃털
계절나기 · 재미있는 새

- 속담 퀴즈
- 또또 퀴즈

부럽다

♪

딩가
댕가

stage 1

OX 퀴즈

맞으면 ○, 틀리면 ×에 ◯표 하는 거야. 이제 시작이라고!

정답 12쪽

1 동물은 물만 있으면 살 수 있다.

2 소는 젖을 먹고 자란다.

3 개는 색을 잘 구별한다.

4 토끼의 눈은 얼굴의 옆쪽에 달려있다.

5 새의 부리는 모두 같은 모양이다.

6 떠나지 않고 한 곳에 머물러 사는 새를 철새라고 한다.

7 거미는 곤충이 아니다.

8 도마뱀은 꼬리가 잘려도 죽지 않는다.

각 쪽을 잘 보고, 답을 맞춰봐. 누가 더 많이 맞췄을까······

10

있다없다 퀴즈

있을까? 없을까? 알쏭달쏭~~ 비밀의 문을 열어봐!

정답 13쪽

동물

1 달팽이에게는 뼈가 ~

있다　없다

2 지구상의 어딘가에는 공룡이 ~

있다　없다

3 캥거루는 배에는 주머니가 ~

있다　없다

4 토끼의 똥에는 물기가 ~

있다　없다

5 개는 땀구멍이 ~

있다　없다

6 고래는 사람과 같은 피부가 ~

있다　없다

14-15쪽 정답　1① 2② 3② 4② 5① 6② 7① 8②

Round 1 동물 · 11

네모 퀴즈

네모 안에 들어갈 말은 뭘까? 답은 둘중 하나!

정답 14쪽

1 개구리는 바깥 날씨에 따라 몸의 ⬜⬜이(가) 변한다. ······ 색깔 〉 온도

2 소는 되새김질을 해서 ⬜⬜이(가) 잘 되게 한다. ······ 배변 〉 소화

3 동물의 몸에 난 ⬜⬜은(는) 몸을 따뜻 하게 하고, 적을 경계하기도 한다. ······ 털 〉 꼬리

4 개는 사람보다 ⬜⬜ 신경이 잘 발달해 있다. ······ 소리 〉 냄새

5 철새는 ⬜⬜ 곳을 찾아 떠난다. ······ 따뜻한 〉 추운

6 뱀과 거북은 몸이 딱딱한 ⬜⬜로 덮여 있다. ······ 비늘 〉 털

7 물고기는 ⬜⬜로 숨을 쉰다. ······ 폐 〉 아가미

8 거미는 ⬜⬜로 먹이를 잡는다. ······ 다리 〉 거미줄

🐱 10쪽 정답 **1** × **2** ○ **3** × **4** ○ **5** × **6** × **7** ○ **8** ○

사다리 퀴즈

알쏭달쏭 수수께끼! 사다리를 타면 답이 나와.

정답 15쪽

동물

1 바다에 사는 파리는?

2 등에 산봉우리를 짊어지고 다니는 것은?

3 날지 못하는 제비는?

4 오리는 오리인데 물속에 사는 오리는?

5 등에 집을 짊어지고 다니는 팽이는?

6 꼬리에 수많은 눈을 달고 있는 것은?

7 아기 때는 울지 않고 어른이 되어야 우는 것은?

8 머리에 나뭇가지를 이고 다니는 것은?

공작

족제비

개구리

달팽이

낙타

가오리

사슴

해파리

11쪽 정답   **1** 없다 **2** 없다 **3** 있다 **4** 없다 **5** 없다 **6** 있다

왜?왜? 퀴즈

왜? 왜 그럴까? 숨겨진 이유를 찾아봐.

정답 11쪽

왜 새는 날아가면서 수시로 똥을 쌀까?

① 몸을 가볍게 하려고
② 자기 땅을 표시하려고

왜 반달곰은 이름이 반달곰일까?

① 눈이 반달 모양이어서
② 가슴에 반달무늬가 있어서

왜 젖먹이동물은 추운 곳이나 더운 곳에서도 살 수 있을까?

① 털이 있어서
② 몸의 온도가 일정해서

왜 개는 꼬리를 흔들까?

① 배가 고파서
② 기분이 좋아서

12쪽 정답 **1** 온도 **2** 소화 **3** 털 **4** 냄새 **5** 따뜻한 **6** 비늘 **7** 아가미 **8** 거미줄

14

왜 열대우림에는 식물이 쑥쑥 잘 자랄까?

① 무덥고 비가 많이 와서
② 동물이 많아서

왜 도마뱀은 꼬리를 자를까?

① 새 도마뱀을 만들기 위해
② 적으로부터 도망가기 위해

왜 달팽이는 단단한 껍데기로 몸을 지킬까?

① 뼈가 없어서
② 상대방을 다치게 하려고

왜 지렁이는 비가 많이 오면 땅 위로 나올까?

① 먹이를 찾기 위해
② 숨을 쉬기 위해

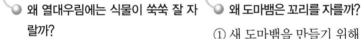

stage 2

집중탐구 퀴즈

문제를 잘 읽고 맞는 것을 골라봐. 쉽지 않을걸!

동물이란?

난 뼈는 없어도 뼈대 있는 가문의 달팽이라고!

동물의 역사

한때는 내가 지구의 주인이었는데…. 그 때가 그립군!

1 식물은 물만 있으면 살 수 있어. 동물도 그럴까?

  ① 그럼, 물만 먹고 살 수 있어.
  ② 아니, 다른 뭔가를 먹어야 해.

2 어떤 동물은 뼈가 있고 어떤 동물은 뼈가 없어. 다음 중 누가 뼈가 없을까?

  ① 상어   ② 달팽이
  ③ 염소

3 사람은 몸이 늘 따뜻하지만 어떤 동물은 몸이 따뜻했다 차가워졌다 해. 다음 중 누가 그럴까?

  ① 참새   ② 고양이
  ③ 개구리

4 지구에는 아주 오래 전부터 동물이 살았어. 누가 가장 오래 살았을까?

  ① 바퀴   ② 모기
  ③ 공룡

5 옛날에는 살았는데 지금은 사라진 동물이 있어. 다음 중 누가 사라졌을까?

  ① 코끼리   ② 곰
  ③ 공룡

6 세상의 많고 많은 동물 중 누가 가장 많을까?

  ① 고양이 같은 젖먹이동물
  ② 개구리 같은 양서류 동물
  ③ 파리 같은 곤충

16

동물

먹이와 먹이 사슬

아까 먹고, 또 먹고!

풀은 역시 맛있어.

집 짓기

방은 정육각형이 튼튼해.

앗, 실수! 미안! 다시 할게.

야! 거기 정육각형 아니잖아.

7 소는 왜 온종일 풀을 뜯어 먹을까?

① 위가 너무 커서
② 풀이 고기보다 영양가가 떨어져서
③ 변비에 안 걸리려고

8 사자는 먹이를 소화시키는 위가 1개뿐인데 소는 4개나 돼. 왜 그럴까?

① 먹이를 많이 먹으려고
② 먹이를 잘 소화시키려고
③ 먹이를 저장하려고

9 뱀은 개구리를, 개구리는 파리를 잡아먹어. 이 셋 중 누가 가장 많아야 모두 잘 살 수 있을까?

① 뱀　　② 파리　　③ 개구리

10 물총새는 물고기나 새우, 곤충 같은 것을 먹고 살아. 그럼 물총새는 어디에 집을 지을까?

① 숲 속　　② 집 처마 밑
③ 물가

11 벌은 집을 크고 튼튼하게 지으려고 이 모양으로 지어. 어떤 모양일까?

① 삼각형　　② 사각형
③ 육각형

12 비버의 집은 물속에 있어도 쓰러지지 않아. 왜 그럴까?

① 물의 흐름을 막는 댐을 만들어서
② 고여 있는 물에 지어서
③ 힘 센 수컷이 집을 지어서

정답과 해설은 뒤쪽에 있어.

Round 1 동물 · 17

집중탐구 퀴즈 정답 & 해설

동물이란?

동물의 역사

정답 1.② 2.② 3.③

식물은 물과 햇빛, 공기로 스스로 먹이를 만들어요. 하지만 동물은 다른 동물이나 식물을 먹이로 먹어요. 이 세상에는 150만 종류가 넘는 동물이 살아요. 하지만 생김새는 각기 달라서, 염소나 상어는 몸속에 단단한 뼈가 있지만 달팽이는 뼈가 없어요. 또 고양이나 참새는 몸의 온도가 늘 일정하지만 개구리나 뱀은 바깥 날씨에 따라 몸의 온도가 변해요.

정답 4.① 5.③ 6.③

38억 년 전 최초의 생명체가 나타난 이래, 지구엔 수많은 생명체가 생겨나고 또 변화하고 사라졌어요. 바퀴는 3억 년 전쯤에 나타났는데, 강한 생명력으로 모습이 크게 변하지 않고 아직까지 살고 있어요. 반대로 공룡은 크게 번성했다가 모두 사라졌어요.
곤충은 수많은 동물 중에서 가장 큰 무리를 이루었어요. 그중에서도 딱정벌레의 종류가 가장 많아요.

먹이와 먹이 사슬

집 짓기

정답 7. ② 8. ② 9. ②

소는 풀을 자주 먹어요. 왜냐하면 풀은 고기보다 영양가가 낮기 때문이지요. 하지만 풀이 소화가 잘 되지 않아 소는 위를 4개나 두고 먹은 풀을 다시 씹는 되새김질을 해서 소화가 잘 되게 해요. 위 속 미생물은 되새김질한 풀을 더 잘 소화시키지요.

동물은 먹이가 부족하면 계속 살아가지 못해요. 그래서 뱀이 먹을 개구리가 뱀보다 많고, 개구리가 먹을 파리가 개구리보다 더 많아야 해요.

정답 10. ③ 11. ③ 12. ①

동물들은 저마다 가장 편리하고 튼튼하게 집을 지어요. 물총새는 먹이를 구하기 쉬운 물가에 굴을 파서 새끼를 키워요. 꿀벌은 여럿이 모여 살며 꿀을 저장하고 알을 돌볼 수 있도록 정육각형 모양으로 방을 만들어요. 정육각형 모양은 튼튼하면서도 방을 많이 만들 수 있으니까요. 비버는 적을 피하기 위해 물속에 집을 짓는데, 댐을 함께 만들어 집이 쓰러지지 않게 해요.

16-17쪽 정답이야.

집중탐구 퀴즈

문제를 잘 읽고 맞는 것을 골라봐. 쉽지 않을걸!

젖먹이동물이란?

겨울도 37도, 여름도 37도. 내 몸의 온도는 늘 변함이 없지.

새끼 낳기

난 너구리와는 달라. 오리너구리라고!

13 돼지는 젖을 먹고 자라. 돼지와 같은 동물을 모두 찾아 봐.(답은 3개)

① 코끼리　　② 상어
③ 고래　　　④ 박쥐

14 젖먹이동물은 왜 아주 추운 곳이나 아주 더운 곳에서도 살 수 있을까?

① 아무리 춥거나 더워도 몸의 온도가 일정해서
② 새끼를 많이 낳아서

15 개와 고양이는 물고기나 새보다 머리가 좋아. 왜 그럴까?

① 머리가 커서
② 두뇌가 잘 발달해서
③ 꼬리가 있어서

16 새끼 토끼는 어미 배 속에서 자랄 때 어떻게 먹이를 먹을까?

① 어미 젖을 먹어.
② 탯줄로 영양분을 받아 먹어.
③ 배 속에 있어서 못 먹어.

17 다음 중 새끼가 너무 작고 연약해서 배주머니에서 새끼를 키우는 동물은 누구일까?

① 너구리　　② 캥거루
③ 곰

18 다음 중 알을 낳아서 품는 젖먹이동물은 누구일까?

① 곰
② 가시두더지
③ 돼지

털과 꼬리

자, 덤벼! 대신 따가워도 책임 못 져!

똥

응~가! 변비인가? 물을 한번 마셔 볼까?

19 고슴도치가 뾰족한 털을 갑자기 밤송이처럼 세웠어. 왜 그럴까?

① 적이 나타나서

② 암컷에게 잘 보이려고

20 북극곰의 털은 빨대처럼 속이 비고 꼿꼿해. 이 털은 무슨 일을 할까?

① 수영할 때 물이 피부에 안 묻게 해.

② 수영할 때 털이 엉키지 않게 해.

21 개는 기분이 좋으면 꼬리를 흔들어. 그럼 겁을 먹었을 땐 꼬리를 어떻게 할까?

① 뒷다리 사이에 감아 넣어.

② 프로펠러처럼 빠르게 돌려.

22 똥 속에 털과 뼛조각이 들어 있어. 다음 중 누구의 똥일까?

① 토끼   ② 코끼리

③ 호랑이

23 호랑이는 2~3일에 한 번 먹이를 먹어. 그럼 똥은 얼마나 자주 눌까?

① 하루에 한 번

② 2~3일에 한 번

③ 1주일에 한 번

24 물을 많이 먹는 소는 질퍽질퍽한 똥을 싸. 그럼 물을 잘 안 먹는 토끼는 어떤 똥을 쌀까?

① 말랑말랑한 똥   ② 쫀득한 똥

③ 바싹 마른 똥

정답과 해설은 뒤쪽에 있어.

집중탐구 퀴즈 정답 & 해설

젖먹이동물이란?

새끼 낳기

정답 **13.** ①, ③, ④ **14.** ① **15.** ②

젖먹이동물은 새끼를 낳아 젖을 먹여 키워요. 땅에 사는 코끼리뿐만 아니라, 물속에 사는 고래와 하늘을 나는 박쥐도 젖먹이동물에 속해요. 젖먹이동물은 털과 심장이 발달했어요. 그래서 아무리 춥거나 더워도 몸의 온도가 늘 37도 안팎으로 일정해요.

젖먹이동물은 두뇌가 발달해서 지능이 높은데, 특히 돌고래와 침팬지가 지능이 좋아요.

정답 **16.** ② **17.** ② **18.** ②

사람은 엄마 배 속에서 열 달을 지낸 뒤 태어나 엄마의 젖을 먹으며 자라요. 개, 고양이, 토끼, 원숭이 등도 기간은 다르지만 비슷하게 자라고 태어나요.

하지만 모든 젖먹이동물이 다 그런 건 아니에요. 가시두더지와 오리너구리는 새처럼 알에서 깨어나요. 캥거루나 코알라는 너무 작고 약하게 태어나서 어미의 배주머니에서 몇 달을 살고요.

털과 꼬리

똥

정답 19. ① 20. ② 21. ①

털은 몸을 따뜻하게 하는 것 말고도 쓰임새가 많아요. 고슴도치는 적이 나타나면 털을 세워 경계해요. 북극 곰은 길고 꼿꼿하면서도 속이 텅 빈 보호용 털을 갖고 있는데, 수영할 때 털이 엉키지 않게 해요.

꼬리의 쓰임새도 동물마다 달라요. 개는 꼬리로 기분을 나타내고, 치타는 달릴 때 꼬리로 균형을 잡아요. 또 원숭이는 나무에 매달릴 때, 소는 파리를 쫓을 때 꼬리를 써요.

정답 22. ③ 23. ② 24. ③

호랑이는 2~3일에 한 번 사냥을 해서 먹이를 먹어요. 그래서 똥도 2~3일에 한 번씩 누지요. 똥 속엔 소화가 안 된 털과 뼈가 섞여 나와요.

반대로 소는 온종일 풀을 먹고 똥을 자주 싸요. 또 똥 속엔 풀 같은 게 섞여 나와요.

똥 모양은 먹은 물의 양에 따라 달라요. 물을 많이 먹는 소는 무른 똥을, 물을 거의 안 먹는 토끼는 마른 똥을 눠요.

집중탐구 퀴즈

문제를 잘 읽고 맞는 것을 골라봐. 쉽지 않을걸!

개	고양이

헥! 헥! 엄마! 나도 땀구멍 만들어 줘~잉!

엄마 팔찌 통과하기도 문제 없지?

걱정 마! 나만 믿어!

25 개는 냄새를 엄청나게 잘 맡아. 개 코는 어떻게 생겼을까?

① 콧구멍이 유난히 커.
② 콧구멍이 4개나 돼.
③ 늘 축축하게 젖어 있어.

26 다음 중 개에게 가장 잘 보이는 것은 어느 것일까?

① 저 멀리 뛰어 가는 토끼
② 꽃에 앉은 알록달록 호랑나비
③ 사과나무의 새빨간 사과

27 개는 아무리 날씨가 더워도 땀을 안 흘려. 왜 그럴까?

① 피부가 늘 서늘해서
② 털이 더위를 막아 줘서
③ 땀구멍이 없어서

28 고양이는 작은 구멍도 크기를 정확히 재서 민첩하게 통과해. 무엇 때문일까?

① 발톱   ② 눈   ③ 수염

29 고양이가 쥐를 잡으러 다가갈 때 발소리가 거의 안 나. 왜 그럴까?

① 긴 발톱을 살 속에 숨겨서
② 발바닥에 털이 많아서
③ 발바닥이 소리를 흡수해서

30 고양이가 높은 곳에서 떨어졌어. 고양이는 어떻게 될까?

① 크게 다쳐.
② 안전하게 등으로 떨어져.
③ 네 발로 바닥에 우뚝 서.

집 동물

켁! 아니야! 눈이 옆에 있어서 뒤도 보일 뿐이야!

토끼는 뒤에도 눈이 있대.

정말? 그럼 괴물 아냐?

재미있는 젖먹이동물

야, 눈 떠!

왜 밖이 더 어둡냐?

31 쥐는 나무처럼 딱딱한 걸 이빨로 계속 갈아 대. 만약 갈아 대지 않으면 어떻게 될까?

① 이빨이 계속 길게 자라.
② 이빨이 쏙 빠져.

32 쥐는 새끼를 아주 많이 낳아. 1년에 몇 마리나 낳을까?

① 10마리 　　② 50마리
③ 500마리

33 토끼는 오른쪽과 왼쪽, 앞과 뒤를 모두 볼 수 있어. 왜 그럴까?

① 눈이 얼굴의 옆쪽에 달려서
② 눈이 빨개서

34 하마는 물속에서 시간을 많이 보내. 그럼 수영을 잘 할까, 못 할까?

35 두더지는 어두운 땅속에 굴을 파고 살아. 그럼 눈이 좋을까, 나쁠까?

36 다음 중 하늘을 날아 다니는 젖먹이동물은 누구일까?

① 박쥐 　　② 비둘기
③ 거위

정답과 해설은 뒤쪽에 있어.

집중탐구 퀴즈 정답 & 해설

개

고양이

정답 25.③ 26.① 27.③

개는 사람보다 100만 배나 냄새를 잘 맡아요. 냄새 신경이 잘 발달했을 뿐만 아니라 코가 늘 축축하게 젖어 있어서 공기 중의 냄새 물질을 잘 붙잡기 때문이에요.

개는 움직이는 물체는 잘 보지만 색깔을 구분하지는 못해요. 눈에 색을 구별해 주는 요소가 적기 때문이에요.

또 땀구멍이 없어서 땀을 못 흘려요. 그래서 더울 때는 혀를 내밀고 헉헉거리며 몸의 열을 날려 보내요.

정답 28.③ 29.① 30.③

고양이의 몸은 사냥하기 좋게 발달했어요.

긴 수염은 더듬이처럼 예민해서 작은 틈새도 정확히 재서 통과하게 해 줘요. 발바닥은 두껍고 긴 발톱을 살 속에 숨길 수 있어서 먹이에 다가갈 때 소리가 안 나게 해 줘요. 또 몸이 유연하고 균형 감각이 뛰어나서 높은 곳에서 떨어져도 다치지 않고 사뿐히 네 발로 선답니다.

집 동물

너희들도 좀 먹어 볼래? 영양분 많은데?

고맙지만 사, 사, 사양할게.

뜨꼼 뜨꼼

재미있는 젖먹이동물

음, 요즘 신경을 안 썼더니 피부가 너무 까칠해.

3금24번 금래

네 정체가 뭐야? 물고기 아니지?

정체? 나처럼 젖먹이동물이야. 엄마 배 속에서 태어나서, 엄마 젖 먹고 자라.

꾸욱

정답 **31.** ① **32.** ② **33.** ①

쥐의 앞니는 사람의 이와 달리 계속 자라요. 그래서 이가 너무 길어지지 않도록 늘 딱딱한 물건을 갉아 대요. 또 쥐는 새끼를 많이 낳아서, 1년이면 한 번에 6~9마리씩 6~7번을 낳아 50마리 정도 낳아요.
토끼는 눈이 얼굴의 옆쪽에 달려서 고개를 돌리지 않고도 모든 방향을 봐요. 또 똥을 두 번 나눠서 누는데, 영양분이 남아 있는 첫 물똥은 먹고, 딱딱하고 동글동글한 똥을 다시 눠요.

정답 **34.** 못해 **35.** 나빠 **36.** ①

하마는 물속에서 바닥에 발을 딛고 서 있기 때문에 수영을 못 해요.
두더지는 어두운 땅속에 살아 눈이 어둡지만 귀가 밝고 냄새를 잘 맡아요.
고래의 피부는 비늘이 아니라 매끈한 털로 덮였어요.
개미핥기는 이빨이 없어도 끈적끈적한 침으로 개미를 핥아 먹어요.
박쥐는 새처럼 하늘을 날지만 젖먹이동물이고요.

24~25쪽 정답이야.

새의 생김새

물 위를 미끄러지듯 수영해요.

내 덕이지! 음하하하!

날개와 깃털

활~짝! 공순이도 반하겠지!

꽁지깃! 파이팅!

37 새들의 뼛속은 텅 비어 있어. 왜 그럴까?

① 바람이 지나가게 하려고
② 몸을 가볍게 하려고
③ 뼈가 너무 작아서

38 오리는 발에 이것이 달려서 헤엄치기에 좋아. 무엇이 달려 있을까?

① 발톱   ② 물갈퀴
③ 지느러미

39 얼굴을 적시지 않고 물고기를 잡아먹는 왜가리의 부리는 어떤 모양일까?

① 주걱처럼 넙적한 모양
② 집게처럼 가늘고 긴 모양
③ 활처럼 휜 모양

40 독수리 날개는 길고 넓고, 제비 날개는 좁고 뾰족해. 그렇다면 둘 중 누가 더 높이 날까?

41 꿩은 종종걸음을 치면서 날아올라. 왜 그럴까?

① 다리가 짧아서
② 날개가 둥글고 짧아서

42 새가 날 때 방향을 잡아 주는 깃털은 어느 것일까?

① 가슴깃   ② 머리깃   ③ 꼬리깃

계절나기	재미있는 새

에취! 겨울이 오나 봐.

내가 따뜻한 곳 알아!

야, 짐 싸!

다른 새들은 하늘을 날 때 날개를 쓰던데….

바다가 하늘이라고 생각해! 휘~얼!

43 제비는 겨울이 되면 우리 나라를 떠나고, 기러기는 찾아와. 왜 그럴까?

① 날씨가 추워서
② 먹이를 찾아서
③ 적들을 피해서

44 사계절 내내 우리 나라에 사는 새는 누구일까?

① 참새와 까치
② 기러기와 청둥오리

45 새 중에는 겨울엔 춥고 먹이가 부족해서 겨울잠을 자는 것도 있어. 다음 중 누구일까?

① 쏙독새　　② 부엉이
③ 박새

46 펭귄은 날개를 어디에 쓸까?

① 하늘을 나는 데
② 빨리 달리는 데
③ 물속에서 헤엄을 치는 데

47 타조는 날지도 못하면서 어떻게 빨리 달릴 수 있을까?

① 날개로 센 바람을 일으켜서
② 발이 말발굽처럼 생겨서
③ 다리가 길어서

48 자기 둥지는 짓지 않고 남의 둥지에 알을 낳고 도망가는 새는 누굴까?

① 까치　　　　② 참새
③ 뻐꾸기

정답과 해설은 뒤쪽에 있어.

집중탐구 퀴즈 정답 & 해설

새의 생김새

날개와 깃털

정답 37.② 38.② 39.②

새는 뼛속이 비어서 하늘을 날 때 몸이 가벼워요. 또 오리 같은 새의 발가락 사이에는 물갈퀴가 달려서 헤엄을 잘 쳐요. 부리도 먹이를 먹기 좋게 여러 가지 모양으로 발달했어요.

정답 40. 독수리 41.② 42.③

새의 날개는 원래 앞다리였어요. 오랫동안 앞다리로 빨리 달리다 보니 날개가 된 것이죠.

새들은 날개 모양에 따라 다르게 날아요. 독수리는 길고 넓은 날개로 높이 날고, 꿩은 둥글고 짧은 날개 때문에 종종걸음을 쳐서 날아 올라요.

새의 깃털은 여러 가지 일을 해요. 날개 깃털로는 하늘을 날고, 꼬리 깃털로는 방향을 잡아요. 수컷 공작은 꽁지깃으로 암컷을 유혹하고요.

계절나기

재미있는 새

정답 43.① 44.① 45.①

제비는 여름을 우리 나라에서 보내고 겨울이 되면 따뜻한 남쪽 나라로 가요. 기러기는 여름을 북쪽 시베리아에서 보내고 겨울엔 덜 추운 우리 나라로 오고요.

이런 철새들과는 달리 참새, 까치, 까마귀와 같은 텃새는 우리 나라에서 태어나 떠나지 않고 계속 살아요.

쏙독새는 겨울이 되면 따뜻한 곳으로 가는 대신 겨울잠을 자는 새예요.

정답 46.③ 47.② 48.③

펭귄은 날 수는 없지만 수영을 잘해요. 날개로 하는 수영 실력이 물고기 못지않아요.

타조 역시 날 수는 없지만 달리기를 잘 해요. 발끝이 말발굽처럼 둘로 갈라져서, 사람보다 5배나 빨리 달릴 수 있어요.

뻐꾸기는 자신의 둥지를 짓지 않아요. 다른 새의 둥지에 알을 낳아 둥지의 주인 새가 새끼를 키우게 해요.

28-29쪽 정답이야.

속담 퀴즈 열쇠를 찾아봐. 속담이 보일 거야.

낮 말은 ▨가 듣고,
밤 말은 ▨가 듣는다.

➡ 아무리 비밀스럽게 한 말도 누군
가가 듣는다.

▨▨ 코끼리 만지듯 한다.

➡ 일부만 아는 사람이 다 아는 양 잘
난 체 하다.

게 ▨ 감추듯 한다.

➡ 위험해지면 잽싸게 눈을 감추는
게처럼 음식을 급히
먹어치운다.

▨▨▨도 나무에서 떨어질 때
가 있다.

➡ 아무리 능숙한 사람도 실수를
한다.

쇠(소)귀에 ▨ 읽기

➡ 우둔하고 무관심해서 아무리 가르
쳐도 알아듣지 못한다.

눈   원숭이   새, 쥐

경   장님

쉬어가기

또또 퀴즈 ▶ 숨은 그림을 찾아봐!

정답 79쪽

아래 그림에서 지렁이는 모두 몇 마리일까?

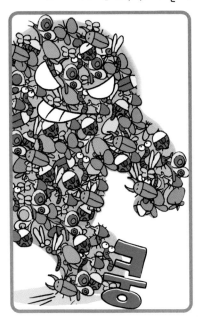

과연~
만만치 않을걸?

🐷 기쪽 정답 ❺

또또 퀴즈~ 정말 재미있다. 어디 어디 숨었을까?

Round 1 동물 · 33

집중탐구 퀴즈

문제를 잘 읽고 맞는 것을 골라봐. 쉽지 않을걸!

파충류 동물

아, 보드라운 내 속살.

파충류 동물의 특징

그늘에 오니 좀 살 것 같군!

오늘은 사상 최고의 더위래. 너무 힘들어.

49 뱀은 몸이 딱딱한 비늘로 덮여 있어. 뱀과 같은 동물을 모두 찾아 봐. (답은 2개)

① 도롱뇽　　　② 악어
③ 거북　　　　④ 개구리

50 뱀의 딱딱한 비늘은 무슨 일을 할까?

① 헤엄을 잘 치게 해.
② 물을 흡수해.
③ 비늘 아래 피부가 마르지 않게 해.

51 뱀은 살면서 몇 번씩이나 헌 비늘을 벗어. 왜 그럴까?

① 몸이 헌 비늘보다 커져서
② 헌 비늘에 병균이 많아서
③ 헌 비늘이 닳아서

52 개구리는 폐와 피부로 숨을 쉬어. 뱀은 어떻게 숨을 쉴까?

① 폐로　　　　② 피부로
③ 폐와 피부로

53 사람은 더우면 땀을 흘려 몸을 시원하게 해. 뱀은 어떻게 할까?

① 사람처럼 땀을 흘려.
② 시원한 그늘을 찾아가.
③ 되도록 움직이지 않아.

54 왜 어미 악어는 알이 깰 때까지 옆에서 지키기만 하고 품지는 않을까?

① 몸이 늘 따뜻한 게 아니어서
② 먹이를 자주 먹어야 해서
③ 알이 너무 크고 많아서

뱀

냠름 냠름!
아니 이게
무슨 냄새야?

악어

응! 잠수 전용
투명 눈꺼풀!

악어는 물에서
쓰는 눈꺼풀이
따로 있다며?

55 뱀은 긴 혀를 날름거려. 왜 그럴까?

① 냄새를 맡으려고

② 먹이를 공격하려고

③ 다른 뱀에게 신호를 보내려고

56 뱀은 사람처럼 눈꺼풀이 없어. 그럼 어떻게 눈을 보호할까?

① 눈을 살 속으로 넣어.

② 눈에 투명 막을 씌워.

③ 눈 색깔을 바꿔.

57 뱀은 다리가 없어. 그럼 어떻게 움직일까?

① 레이저처럼 쭉 뻗으면서

② 에스 자[S]로 구불거리면서

③ 뱅글뱅글 돌면서

58 악어가 사냥할 때 이빨과 함께 강력한 힘을 발휘하는 건 무엇일까?

① 앞다리　　② 등가죽

③ 꼬리

59 악어는 물속에서도 눈을 크게 뜨고 다녀. 무엇 때문에 가능할까?

① 투명한 눈꺼풀

② 눈에 칠해진 기름

③ 긴 속눈썹

60 악어가 물속에서 입을 벌렸어. 물이 몸속으로 들어갈까, 안 들어갈까?

① 들어가.

② 안 들어가.

정답과 해설은 뒤쪽에 있어.

집중탐구 퀴즈 정답 & 해설

파충류 동물

파충류 동물의 특징

정답 49. ②, ③ 50. ③ 51. ①

뱀과 악어, 거북과 카멜레온은 몸이 딱딱한 비늘로 덮여 있어요. 이러한 동물 무리를 파충류라고 해요. 도롱뇽과 개구리는 얼핏 파충류 동물처럼 보이지만 몸이 비늘이 아니라 매끄러운 피부로 덮여 있어요.

파충류 동물의 비늘은 비늘 아래 피부가 마르지 않게 해요. 하지만 비늘은 몸처럼 자라지 못하기 때문에 살면서 몇 번씩 헌 비늘을 벗어 내야 해요.

정답 52. ① 53. ② 54. ①

개구리는 축축한 곳에 살아서 폐뿐 아니라 피부로도 숨을 쉬어요. 하지만 파충류는 마른 땅에 살아서 폐로만 숨을 쉬어요.

파충류는 사람처럼 혼자서 몸의 온도를 조절하지 못해서, 몸의 온도가 일정하지 않고 바깥 날씨에 따라 올라갔다 내려갔다 해요. 뱀이 더울 때 서둘러 시원한 곳을 찾는 것도, 악어가 알을 못 품는 것도 다 이 때문이랍니다.

뱀

뱀은 무섭기로 유명하지만 사실 눈과 귀가 무척 어두워요. 그래서 늘긴 혀를 날름거려 냄새를 맡으며 먹이를 찾아요.

또 뱀은 눈에 눈꺼풀이 없어서 유리처럼 투명한 막으로 눈을 보호해요. 뱀은 다리가 없어서 몸 전체로 움직여요. 마치 알파벳 S자를 그리듯이 몸을 구불거리며 움직여 물속을 헤엄치고 땅 위를 기어간답니다.

악어

악어는 날카로운 이빨과 강한 턱, 힘 센 꼬리로 닥치는 대로 사냥을 해요. 특히 꼬리 힘이 세서 몸집이 큰 동물도 한 방이면 정신을 잃는답니다.

악어의 몸은 강이나 늪에서 사냥하기에 좋게 생겼어요. 눈꺼풀이 투명해서 물속에서 눈을 감아도 앞을 잘 볼 수 있어요. 또 목구멍 앞에 판이 있어서 입을 크게 벌려도 물이 몸 안으로 안 들어간답니다.

34~35쪽 정답이야.

집중탐구 퀴즈

문제를 잘 읽고 맞는 것을 골라 봐. 쉽지 않을걸!

양서류 동물이란?

휴, 피부가 마르니까 숨쉬기 너무 힘들어!

개구리

울음주머니를 더 크게! 개굴개굴! 그럼 개순이도 반하겠지?

---

61 개구리는 땅과 물 양쪽에서 살아. 개구리와 같은 동물을 모두 찾아 봐. (답은 2개)

① 지렁이   ② 두꺼비

③ 뱀   ④ 도롱뇽

62 사람은 입으로 물을 마셔. 개구리는 어디로 물을 마실까?

① 입으로   ② 아가미로

③ 피부로

63 왜 개구리는 겨울잠을 자거나 여름잠을 잘까?

① 춥거나 더워서

② 적들을 피하려고

③ 키가 크려고

64 개구리는 먹이 사냥을 어떻게 할까?

① 앞발바닥으로 찰싹 때려.

② 긴 혀로 잡아채.

③ 큰 입으로 덥석 물어.

65 수컷 개구리가 울음주머니를 크게 부풀려 '개굴개굴' 울어. 왜 우는 걸까?

① 암컷에게 잘 보이려고

② 다른 수컷과 싸우느라고

③ 배가 고파서

66 개구리는 올챙이일 때 물속에서만 살아. 숨은 어디로 쉴까?

① 사람처럼 폐로

② 물고기처럼 아가미로

③ 지렁이처럼 피부로

물고기란?

응. 비늘 손질 좀 하고 나왔어.

오늘 헤엄 잘 치는데!

물고기의 번식

아껴 먹어! 입 생기기 전에 다 먹겠다.

얌얌! 난황은 너무 맛있어.

---

67 물고기 몸을 덮고 있는 미끄러운 비늘은 어떤 일을 할까? (답은 2개)

① 병균을 막아 줘.

② 물을 빨아들여.

③ 헤엄치는 걸 도와 줘.

68 사람은 폐로 숨을 쉬어. 물속에 사는 물고기는 어디로 숨을 쉴까?

① 코로

② 피부로

③ 아가미로

69 아무리 큰 물고기도 물속에 가라앉지 않아. 왜 그럴까?

① 공기주머니 부레가 있어서

② 납작한 지느러미가 있어서

③ 매끄러운 비늘이 있어서

70 물고기는 알을 많이 낳아. 왜 그럴까?

① 어른이 되는 물고기가 적어서

② 큰 물고기와 싸우려고

③ 새끼들이 힘을 합치라고

71 암컷 물고기가 알을 낳으면, 수컷은 어떻게 할까?

① 알을 품어.

② 정자를 뿜어 줘.

③ 둥지로 옮겨.

72 새끼 물고기는 처음엔 입도 없고 먹이 구할 힘도 없는데 어떻게 살아갈까?

① 몸속에 저장된 먹이를 먹어.

② 어미가 젖을 줘.

③ 입이 생길 때까지 굶어.

정답과 해설은 뒷쪽에 있어.

양서류 동물이란?

개구리

정답 61. ②, ④ 62. ③ 63. ①

개구리, 두꺼비, 도롱뇽은 땅과 물 양쪽에 사는 양서류 동물로, 축축한 피부로 물을 마셔요.

양서류 동물은 파충류 동물처럼 몸의 온도를 스스로 조절하지 못해요. 그래서 개구리들은 추운 겨울엔 얼어 죽지 않으려고, 더운 여름엔 몸의 물기가 마르지 않게 하려고 잠을 자요. 물론 겨울엔 먹이가 부족해서 겨울잠을 자야 하기도 해요.

정답 64. ② 65. ① 66. ②

개구리는 살아 있는 벌레를 먹고 사는데, 긴 혀로 순식간에 벌레를 낚아채요.

수컷 개구리는 암컷을 유혹하느라 울음소리를 내요. 목 아래 울음주머니를 크게 부풀려 소리를 내는데, 크고 높은 소리가 인기가 좋아요.

올챙이가 개구리가 되어 물에서 땅으로 올라오면 숨 쉬는 방법이 변해요. 올챙이일 때는 아가미로, 개구리일 때는 피부와 폐로 숨을 쉬어요.

물고기란?

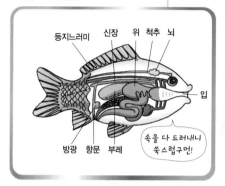

등지느러미　신장　위　척추　뇌

입

방광　항문　부레

속을 다 드러내니 쑥스럽구먼!

물고기의 번식

우리 아가들이 몇 마리나 살 수 있을지….

안전 부절

그래서 우리가 알을 많이 낳는 거잖소. 어서 떠납시다.

정답 67. ①, ③　68. ③　69. ①

대부분의 물고기는 온몸이 비늘로 덮여 있어요. 비늘은 다른 동물의 털이나 살갗처럼 병균으로부터 몸을 보호해 주고, 헤엄을 잘 치게 해 줘요.

물고기는 아가미로 숨을 쉬어요. 아가미는 입으로 마신 물에 녹아 있는 산소를 얻어 내요.

물고기는 몸속에 부레라고 하는 공기주머니가 있어서 몸이 물에 가라앉지 않고 잘 떠요.

정답 70. ①　71. ②　72. ①

사람은 쌍둥이가 아닌 이상 아기를 한 명 낳아요. 하지만 물고기는 알을 많이 낳는데, 그건 알이 물살에 떠내려가거나 다른 동물에게 잡아먹히는 경우가 많기 때문이에요.

암컷이 알을 낳으면, 수컷은 알 속에서 새끼가 만들어지도록 알에 정자를 뿌려요.

새끼 물고기는 태어나서 얼마간은 몸속에 저장된 난황이라는 영양분으로 살아가요.

38~39쪽 정답이야.

집중탐구 퀴즈

문제를 잘 읽고 맞는 것을 골라봐. 쉽지 않을걸!

곤충이란?

머리, 가슴, 배! 나의 몸매는 정말 완벽해!

이 미끈한 겉껍데기도 멋지고!

곤충의 생김새

그물맥을 가진 멋진 내 날개! 튼튼해서 물고기도 잡겠는걸?

73 개미나 파리 같은 곤충의 몸은 몇 부분으로 나뉠까?

① 머리가슴과 배의 2부분
② 머리, 가슴, 배의 3부분
③ 통째로 된 몸

74 곤충은 다리가 6개야. 그럼 다음 중 곤충은 누구일까?

① 지네
② 거미
③ 바퀴

75 곤충의 몸은 무엇이 둘러싸고 있을까?

① 매끄러운 비늘
② 거칠고 두꺼운 피부
③ 딱딱한 껍데기

76 곤충의 몸 중에서 맛도 보고 소리도 듣고 냄새도 맡는 부분은 어디일까?

① 더듬이   ② 날개   ③ 배

77 파리의 날개는 작고 얇지만 이것 때문에 튼튼해. 이것은 무엇일까?

① 딱딱한 뼈
② 그물같이 펼쳐진 날개맥
③ 매끄러운 비늘

78 나비는 걸을 때 다리를 4개만 써. 나머지 2개는 어디에 쓸까?

① 싸울 때
② 날아갈 때
③ 맛 볼 때

곤충의 감각

내 눈을 피해 도망간다고? 푸하핫!

이렇게 많은 눈이 지키고 있는데.

어림없는 소리!

곤충의 방어

나 지금 살아 있게? 죽어있게?

79 잠자리의 큰 눈 속엔 작은 눈이 수없이 들어 있어. 잠자리 눈은 무엇을 잘할까?

① 색깔을 잘 봐.
② 움직임을 잘 봐.

80 배추벌레는 눈이 아주 나빠. 왜 그럴까?

① 눈으로 볼 일이 별로 없어서
② 눈이 너무 작아서

81 귀뚜라미 수컷은 날개 비비는 소리로 암컷을 불러. 암컷은 이 소리를 어디로 들을까?

① 앞다리에 달린 귀
② 더듬이의 잔털

82 나뭇가지사마귀는 나뭇가지처럼 생겼어. 뭐가 좋을까?

① 적의 눈에 잘 안 띄어.
② 적들이 무서워해.
③ 암컷이 좋아해.

83 무당벌레를 살짝 건드렸어. 어떤 행동을 할까?

① 날개를 펴고 날아가.
② 죽은 척해.
③ 방귀를 내뿜어.

84 꿀벌이 적에게 침을 쐈어. 이제 꿀벌은 어떻게 될까?

① 더 강한 침이 바로 생겨.
② 힘이 약해져.
③ 죽어 버려.

정답과 해설은 뒤쪽에 있어.

집중탐구 퀴즈 정답 & 해설

곤충이란?

곤충의 생김새

73. ② 74. ③ 75. ③

곤충은 몸이 머리, 가슴, 배의 세 부분으로 되어 있고, 다리는 세 쌍으로 6개예요. 그리고 몸속에 뼈가 없는 대신 단단한 껍데기가 몸을 감싸고 있어요.

하지만 작다고 해서 모두 곤충은 아니에요. 거미는 언뜻 곤충처럼 보이지만 다리가 8개고, 지네는 다리가 수십 개나 되서 곤충과는 다른 무리에 속해요.

76. ① 77. ② 78. ③

곤충은 대부분 코와 귀가 따로 없고 더듬이로 냄새도 맡고 소리를 듣고 맛도 봐요. 하지만 나비처럼 앞다리 2개로 냄새를 맡아 꿀을 찾는 곤충도 있어요.

곤충의 날개는 새의 날개보다 훨씬 작고 얇지만, 가벼운 곤충의 몸을 지탱하기에는 적당해요. 또 파리 같은 곤충의 날개엔 날개맥이 있어 날개가 더 튼튼하고요.

곤충의 감각

곤충의 방어

정답 79.② 80.① 81.①

잠자리의 눈은 작은 눈이 수백 개 이상 모인 벌집 모양인데, 먹이의 움직임을 잘 봐요.

반대로 배추벌레는 눈이 아주 나쁜데, 그건 잠자리처럼 먹이를 찾아 돌아다닐 필요가 없기 때문이에요. 먹이인 배춧잎에서 살며 눈을 쓰지 않아 눈이 나빠진 것이죠.

귀뚜라미는 앞다리에 달린 귀로 소리를 들어요. 개미는 더듬이로 냄새를 맡고요.

정답 82.① 83.② 84.③

작은 곤충들도 나름대로 자신을 보호하는 방법이 있어요.

나뭇가지사마귀는 나뭇가지처럼 생겨서 적의 눈에 잘 안 띄어요. 무당벌레는 무언가가 닿으면 죽은 척하고요. 또 꿀벌은 침으로 적을 공격해요. 하지만 침이 몸 안에 갈고리 모양으로 박혀 있어서 침을 쏘면 내장이 찢겨서 나와 죽고 말아요. 목숨을 걸고 자신과 무리를 지켜 내는 것이지요.

🐾 42-43쪽 정답이야.

집중탐구 퀴즈

문제를 잘 읽고 맞는 것을 골라봐. 쉽지 않을걸!

애벌레

쟤는 허물 몇 번 벗더니 어른이 됐네!

허물 벗기는 쉬운 줄 알아?

거미

오늘은 영 먹이가 걸리질 않네. 배고파!

85 대부분의 애벌레가 알에서 깨서 제일 먼저 먹는 건 무엇일까?

① 어미 젖　　② 알 껍데기
③ 다른 애벌레

86 꿈틀꿈틀 초록 배추벌레는 어떻게 예쁜 하양 날개의 배추흰나비가 될까?

① 번데기가 되고 나서
② 겨울잠을 자고 나서

87 다음 중 번데기가 되지 않고 허물을 몇 번 벗으면 어른이 되는 곤충은 누구일까?

① 호랑나비　　② 매미

88 다음 중 누가 거미와 친척일까?

① 지네　　② 사마귀　　③ 전갈

89 파리는 거미줄에 걸리면 꼼짝 못하지만 거미는 잘 다녀. 왜 그럴까?

① 끈끈하지 않은 거미줄로만 다녀서
② 다리에서 기름이 나와서

90 거미는 이빨이 있지만 먹이를 씹지는 않아. 그럼 어떻게 먹을까?

① 통째로 꿀꺽 삼켜.
② 앞다리로 잘게 잘라서 삼켜.
③ 먹이의 속을 녹여 빨아먹어.

북극의 북극곰

응. 사냥 좀 할까 해서.

털 고르기 했어? 피부가 유난히 하얀데?

사막의 낙타

모랫바람이 불어온다!

콧구멍을 닫아야겠군.

91 북극곰처럼 춥고 눈 덮인 북극에 사는 동물은 누구일까?

① 바다표범
② 방울뱀
③ 펭귄

92 북극곰은 털이 흰색이야. 무엇에 좋을까?

① 몸이 더 따뜻해.
② 눈밭에서 몸이 잘 안 보여.
③ 수영을 더 잘 할 수 있어.

93 곰은 보통 겨울잠을 자. 사계절 내내 추운 곳에 사는 북극곰도 그럴까?

① 그럼, 겨울잠을 자지.
② 아니, 자지 않아.

94 사막에 모랫바람이 불어. 낙타는 어떻게 할까?

① 모랫바람을 그대로 마셔.
② 콧구멍을 닫아.
③ 숨을 참아.

95 낙타는 다리가 길고 발바닥이 넓고 발가락이 2개야. 무엇에 좋을까?

① 아주 빠르게 뛸 수 있어.
② 모래 위를 잘 걸을 수 있어.
③ 뒤로 걸을 수 있어.

96 낙타는 등에 혹이 있어 물을 마시지 않고도 오래 견뎌. 혹 속에 뭐가 들어 있을까?

① 풀 ② 물 ③ 지방

정답과 해설은 뒤쪽에 있어.

Round 1 동물 · 47

집중탐구 퀴즈 정답 & 해설

애벌레

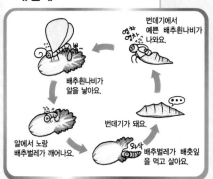

거미

정답 85.② 86.① 87.②

초파리나 배추흰나비처럼 곤충은 알에서 시작해 애벌레, 번데기를 거쳐 어른벌레가 되고, 모습도 여러 번 바뀌어요. 알에서 깬 애벌레들은 보통 자신이 들어 있던 알 껍데기를 먹어요.

하지만 모든 곤충이 이처럼 어른이 되는 건 아니에요. 매미와 잠자리는 번데기를 거치지 않아요. 또 톡토기는 모습은 변하지 않고 크기만 커져서 어른벌레가 돼요.

정답 88.③ 89.② 90.③

거미는 파리와 모기 같은 곤충처럼 보이지만, 전갈과 함께 거미류에 속해요.

거미는 거미줄을 쳐서 먹이를 잡아먹어요. 하지만 자신은 다리에서 기름을 내뿜어 거미줄에 달라붙지 않아요.

거미는 먹이를 이빨로 찔러 독액(소화액)을 넣어요. 독액이 먹이의 속을 녹이면 빨아먹는 것이죠. 그래서 거미줄엔 곤충의 빈 껍데기가 많이 걸려 있어요.

북극의 북극곰

정답 91. ① 92. ② 93. ②

북극은 춥긴 해도 북극곰, 바다표범, 북극여우, 바다코끼리 등 많은 동물이 살아요.

북극곰은 털이 희어서 사냥할 때 유리해요. 눈에 몸을 잘 숨길 수 있으니까요. 또 발바닥엔 털이 있어 얼음 위를 잘 걸어 다닐 수 있어요.

북극곰은 겨울잠을 자지 않아요. 북극이 춥긴 해도 먹이가 많고, 북극곰에겐 두꺼운 털과 가죽이 있기 때문이지요.

사막의 낙타

정답 94. ② 95. ② 96. ③

46-47쪽 정답이야.

1 동물과 식물의 특징 비교　　　1학년

1. 동물과 식물은 모두 생물이다. (○ , ×)

2. 동물은 스스로 움직이고, 새끼를 낳는다. (○ , ×)

3. 하늘에서 볼 수 있는 동물은 제비, 비둘기, 토끼 등이다. (○ , ×)

2 물고기의 생김새　　　3학년

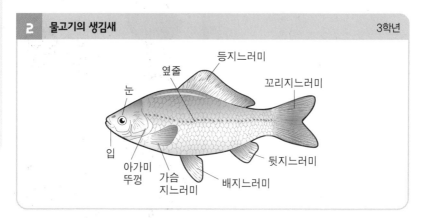

1. 물고기의 몸은 털로 덮여 있다. (○ , ×)

2. 물고기는 지느러미의 움직임에 따라 한 곳에서 머물러 있기도 하고 앞으로 나아
   가기도 한다. (○ , ×)

3. 물고기는 지느러미로 숨을 쉰다. (○ , ×)

기대하시라!

3 연못이나 개울에 사는 동물 　　　　　　　　　3학년

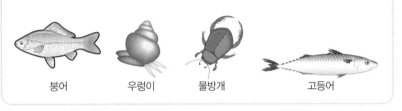

붕어　　　우렁이　　　물방개　　　고등어

1. 고등어는 민물에 사는 물고기다. (○ , ×)

2. 우렁이는 연못 바닥이나 돌 등에 붙어 살아간다. (○ , ×)

3. 물방개는 바닷가에 살며 다른 곤충이나 사체까지도 먹어 '물속의 청소부' 라 불린다. (○ , ×)

4. 붕어는 주로 연못에 산다. (○ , ×)

4 사는 곳에 따른 동물의 생김새와 생활 모습 　　　　3학년

하늘 : 참새　　물속 : 물고기　　땅속 : 지렁이　　땅 위 : 사자

1. 지렁이는 땅속에서 움직이기에 알맞게 몸이 길다. (○ , ×)

2. 사자는 땅 위를 잘 뛰어다닐 수 있게 아가미가 있다. (○ , ×)

3. 참새는 하늘을 날 수 있게 날개가 있다. (○ , ×)

4. 붕어는 헤엄을 잘 칠 수 있게 몸이 유선형이다. (○ , ×)

교과서 도전 퀴즈

학교 시험에는 어떻게 나올까? 도전해봐!

정답 50쪽

5 사는 곳에 따른 동물의 생활 방식   3학년

사는 곳	종류	생김새와 특징
하늘	나비, 참새, 잠자리 등	(　　　)가 있어 날 수 있고, 다리가 있다.
땅 위	개, 닭, 소 등	(　　　)가 발달해 있고, 꼬리가 있는 것도 있다.
땅속	지렁이 두더지 등	몸이 길고 매끈하거나 앞발이 발달되어 있다.
물속	붕어, 오징어 등	몸이 (　　　)이며 아가미로 호흡한다.

위의 표는 사는 곳에 따른 동물의 종류와 특징을 나타낸 것입니다. (　　) 안에 알맞은 말을 써 넣으세요.

(　　　　　,　　　　　,　　　　　)

6 동물의 분류   6학년

1. 움직이지 못하고, 영양분을 스스로 얻으며, 외부 자극에 느리게 작용하는 것은 동물이다. (○ , ×)

2. 개구리, 뱀, 개, 고래, 붕어는 척추동물이다. (○ , ×)

3. 지렁이, 잠자리, 오징어처럼 부드러운 몸체를 지닌 동물을 무척추동물이라고 한다. (○ , ×)

50쪽 정답 **1** 1. ○ 2. ○ 3. × **2** 1. × 2. ○ 3. ×

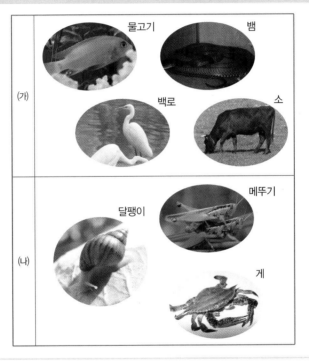

(가)
- 물고기
- 뱀
- 백로
- 소

(나)
- 달팽이
- 메뚜기
- 게

1. (가)와 (나)는 등뼈가 있는 동물과 없는 동물로 나눈 것이다. (○, ×)

2. 뱀은 척추가 없다. (○, ×)

3. 게는 척추가 있다. (○, ×)

4. 메뚜기는 온몸이 척추로 이루어져 있다. (○, ×)

5. 백로와 같은 새는 척추가 있다. (○, ×)

2 Round

새끼 동물

stage 3

stage 4

stage 1

OX 퀴즈

맞으면 ○, 틀리면 ×에 ○표 하는 거야. 이제 시작이라고!

정답 58쪽

1 거북이 알은 품지 않아도 새끼들이 깨어난다.

2 돌고래는 새끼를 낳는다.

3 올챙이 꼬리가 없어지고 나면 다리가 나온다.

4 고양이 새끼는 태어나자마자 바로 걷는다.

5 돼지는 한번에 한 마리의 새끼를 낳는다.

6 새끼들은 나이가 들면 어미를 떠나 혼자 살아간다.

7 새의 알은 모두 딱딱하다.

8 벌 중에서 여왕벌만 알을 낳는다.

각 쪽을 잘 보고, 답을 맞춰봐. 누가 더 많이 맞췄을까……

56

있다없다 퀴즈

있을까? 없을까? 알쏭달쏭~~ 비밀의 문을 열어봐!

정답 59쪽

새끼 동물

1 새끼 얼룩말도 줄무늬가 ~

있다　없다

2 새끼 낙타도 등에 혹이 ~

있다　없다

3 동물은 이미 태어날 때부터
적을 피할 수 있는 능력이 ~

있다　없다

4 달팽이 새끼는 등껍데기가 ~

있다　없다

5 알 속에는 먹을 것이 ~

있다　없다

6 새끼를 낳는 상어가 ~

있다　없다

60-61쪽 정답　1① 2② 3② 4② 5② 6① 7① 8①

네모 퀴즈

네모 안에 들어갈 말은 뭘까? 답은 둘중 하나!

정답 60쪽

1 어미 고양이는 새끼의 입 주위를 할아서 ▨▨이 터지게 한다. …………… 입 〉 숨

2 돼지는 많은 새끼를 ▨▨로 구별한다. ……… 크기 〉 냄새

3 새끼 수사자는 자라면서 ▨▨이(가) 생긴다. …………… 갈기 〉 혹

4 어미 돌고래는 새끼를 낳자마자 ▨▨로 올린다. …………… 물 위 〉 나무 위

5 알 속에서 새끼 병아리가 다치지 않게 보호해주는 것은 ▨▨다. …………… 노른자위 〉 흰자위

6 어미 악어는 알에서 깬 새끼를 ▨▨속에 넣는다. …………… 귀 〉 입

7 로열젤리만 먹는 벌은 ▨▨이 된다. ………… 여왕벌 〉 일벌

8 모기는 ▨▨만 동물의 피를 빤다. ………… 수컷 〉 암컷

56쪽 정답 1○ 2○ 3× 4× 5× 6○ 7× 8○

사다리 퀴즈

알쏭달쏭 수수께끼! 사다리를 타면 답이 나와.

정답 61쪽

1 다리는 다리인데 걷지 못하는 다리는?

2 엄마는 다리가 있는데 새끼는 다리가 없는 것은?

3 장을 담글 때 가장 무서운 것은?

4 호랑이 앞에서도 당당한 것은?

5 자기가 좋아하는 음식으로 이름을 지은 벌레는?

6 아무리 똑똑해도 멍청하다는 소리만 듣는 것은?

7 어려서부터 장단 맞추기를 좋아한 것은?

8 태어나자마자 약만 찾는 것은?

꺼벙이

구더기

장구벌레

배추벌레

올챙이

하룻강아지

병아리

꽝다리

왜?왜? 퀴즈

왜? 왜 그럴까? 숨겨진 이유를 찾아봐.

정답 57쪽

왜 황제펭귄은 암컷 대신 수컷이 알을 품을까?

① 암컷은 알을 낳느라 힘들어서

② 암컷이 알을 낳고 버려서

왜 돌고래 새끼는 물 위로 올라올까?

① 바깥 구경을 하기 위해

② 숨을 쉬기 위해

왜 어미 캥거루는 새끼를 배주머니에 넣어 다닐까?

① 새끼가 너무 귀여워서

② 작고 연약한 새끼를 보호하려고

왜 닭은 알을 굴리면서 품을까?

① 이리저리 섞이라고

② 따뜻해지라고

58쪽 정답 1 숨 2 냄새 3 갈기 4 물 위 5 흰자위 6 입 7 여왕벌 8 암컷

60

5

왜 거북은 알에서 깨어나자마자 바다
로 향할까?

① 헤엄을 치려고
② 잡아먹히지 않으려고

6

> 얘들아,
> 너희들은 신선한 물이랑
> 공기 많이 마시렴.
> 그런데 엄마는 너무
> 배가 고프구나.

거참
4거해

왜 시클리드는 알을 입속에서 품는
동안 입을 계속 벌릴까?

① 신선한 물과 산소가 들어가게 하
려고
② 알이 너무 많아서

7

왜 암컷 모기만 피를 빨까?

① 알을 낳기 위해
② 젖을 먹이기 위해

8

왜 동물들은 알이나 새끼를 낳을까?

① 대를 이어가기 위해서
② 사냥을 시키기 위해

stage 2

집중탐구 퀴즈

문제를 잘 읽고 맞는 것을 골라봐. 쉽지 않을걸!

개	고양이

이빨이 나려나? 껌 씹으니 좀 시원하네.

잘 보이니까 살맛난다, 진짜!

어휴, 아직 다 크려면 멀었어!

1 갓 태어난 강아지는 눈도 안 보이고 귀도 안 들려. 그럼 어미는 어떻게 알아볼까?

① 만져서　　② 냄새를 맡아서
③ 온도를 느껴서

2 강아지가 갑자기 쇼파나 신발 같은 것을 물어뜯어. 왜 그럴까?

① 이빨이 간지러워서
② 배가 고파서
③ 스트레스를 받아서

3 사람은 스무 살에 어른이 돼. 강아지는 몇 살에 어른이 될까?

① 사람처럼 스무 살에
② 일곱 살에
③ 한 살에

4 어미 고양이는 새끼를 낳고 어떻게 새끼의 첫 숨이 터지게 할까?

① 사람처럼 엉덩이를 때려서
② 새끼의 입 주위를 세게 핥아서
③ 찬바람을 쐬어 줘서

5 고양이는 갓 태어난 새끼 때부터 눈이 좋을까?

① 그럼, 눈을 부릅뜨고 어미를 찾는걸.
② 아니, 아예 보지를 못해.

6 갓 태어난 새끼는 찬물에 닿으면 위험해. 왜 그럴까?

① 어미가 할퀼 수도 있어서
② 추워서 병에 걸릴 수도 있어서
③ 몸에 털이 없어서

토끼

엄마, 젖 더 주세요!

안 돼! 하루에 한 번만 먹기로 했지?

배고파요, 엄마.

돼지

가운데 젖꼭지는 내 것이다! 냠냠!

오늘은 나도 먹고 말 거야!

젖꼭지가 많아서 다행이야.

7 산토끼와 집토끼 중에, 태어날 때부터 눈도 밝고, 털도 있고, 깡총깡총 뛸 수 있는 건 누구일까?

8 어미 토끼는 새끼에게 하루에 얼마나 자주 젖을 줄까?

① 아침, 점심, 저녁 하루 3번
② 새끼가 배고플 때마다
③ 하루 딱 한 번

9 어미 토끼는 새끼를 어떻게 보호할 까?

① 잠시도 새끼 곁을 떠나지 않아.
② 되도록 새끼 곁에 가지 않아.
③ 새끼를 늘 데리고 다녀.

10 어미 돼지는 10마리나 되는 새끼들을 어떻게 알아볼까?

① 소리를 듣고
② 냄새를 맡고
③ 얼굴을 보고

11 어미 돼지는 새끼가 많아서 젖꼭지도 많아. 몇 개나 될까?

① 5개
② 12개
③ 새끼 수만큼

12 어미 젖 중에서 가운데 젖이 가장 잘 나와. 이건 누가 먹을까?

① 가장 힘센 새끼
② 가장 약한 새끼
③ 아무나

정답과 해설은 뒤쪽에 있어.

개

고양이

정답 4.② 5.② 6.②

고양이는 몸이 빠르고 유연하고 눈이 밝지만, 어릴 때부터 그런 건 아니에요. 새끼 고양이는 어미가 세게 핥아 주면서 숨을 쉬기 시작하고, 보고 듣고 몸을 가누기까지는 한 달 정도 걸려요.

게다가 새끼 고양이는 혼자서는 체온 조절을 못 해서 어미가 늘 따뜻한 혓바닥으로 핥아 줘요. 잘못해서 사람이 차가운 물로 닦아 주면 얼어 죽을 수도 있답니다.

정답 1.② 2.① 3.③

토끼

돼지

정답 **7.** 산토끼 **8.** ③ **9.** ②

집토끼는 사람과 함께 살고, 산토끼는 초원이나 숲에 살아요. 이 중 산토끼는 태어날 때부터 적을 피할 수 있게 눈도 뜨고 털도 있고 곧 달릴 수 있어요.

어미는 다른 동물이 어미의 뒤를 밟아 새끼를 찾지 못하도록 줄곧 먼발치에서 새끼를 지켜요. 그러다 하루에 한 번 찾아가 젖을 먹여요. 젖은 새끼들이 한 번만 먹고도 무럭무럭 자랄 만큼 영양이 풍부하답니다.

정답 **10.** ② **11.** ② **12.** ①

돼지는 보통 10마리쯤 새끼를 낳는데, 최근엔 24마리를 낳기도 했어요.

돼지는 많은 새끼를 냄새로 구별해요. 다른 돼지의 새끼가 끼어 있어도 냄새로 금방 알아챌 수 있어요. 어미 돼지는 젖꼭지가 12개나 돼서 새끼들은 하나씩 자기 젖꼭지를 정해 놓고 먹어요. 그 중 가장 힘센 새끼가 가장 잘 나오는 젖을 먹어요.

62-63쪽 정답이야.

집중탐구 퀴즈

문제를 잘 읽고 맞는 것을 골라봐. 쉽지 않을걸!

스스로 지켜

휴, 엎드렸으니까 북극곰이 못 보겠지?

새끼동물들의 독립

흑, 나도 이제 내 살길을 찾아야겠구나.

13 하얀 새끼 바다표범이 눈밭에 엎드려 있어. 적들은 새끼를 알아볼까, 몰라볼까?

14 새끼 사슴이 숲을 지나다 무서운 늑대를 만났어. 어떻게 할까?

① 재빨리 도망가.
② 가만히 서 있어.
③ 어미를 불러.

15 호랑나비의 애벌레는 이것처럼 생긴 덕에 새들에게 잘 잡혀먹지 않아. 무엇처럼 생겼을까?

① 새똥   ② 돌멩이
③ 뱀

16 왜 새끼 사자 수컷은 다 자라면 무리를 떠날까?

① 자기만의 무리를 만들려고
② 먹이가 부족해서
③ 세상 구경을 하려고

17 집을 떠났던 새끼 여우가 찾아오면 어미는 어떻게 할까?

① 반갑게 맞아 줘.
② 다시 쫓아 보내.
③ 새끼를 못 알아봐.

18 어미 코알라는 새끼를 업고 다녀. 그러다 어느 날 새끼가 등에서 떨어지면 어떻게 생각할까?

① "이제 다 컸네."
② "아이쿠, 다친 데는 없니?"

닮음

아빠의 갈기가 탐나.

태어나자마자

나도 살려면 어쩔 수 없어, 엄마.

살살 매달려. 털 뽑힌다. 얘야!

19 얼룩말은 하양 검정 줄무늬가 있어. 새끼 얼룩말도 줄무늬가 있을까?

20 낙타는 등에 혹이 있어. 갓 태어난 새끼 낙타도 혹이 있을까?

21 수사자는 갈기가 있어. 새끼 수사자도 갈기가 있을까?

22 새끼 얼룩말은 태어난 후 한 시간이면 걸어. 왜 이렇게 빨리 걷게 될까?

① 먹이를 먹으려고
② 도망 다니려고
③ 짝짓기를 하려고

23 새끼 원숭이는 늘 엄마한테 매달려 다녀. 태어난 날에도 그랬을까?

① 그럼, 태어난 날 바로 매달려.
② 아니, 태어나서 며칠간은 아기들처럼 누워 있어.

24 새끼 거북은 알에서 깨서 바로 바다로 달릴 수 있어. 새끼 새도 알에서 깨서 바로 하늘을 날 수 있을까?

정답과 해설은 뒤쪽에 있어.

집중탐구 퀴즈 정답 & 해설

스스로 지켜

새끼동물들의 독립

정답 13. 몰라본다 14. ② 15. ①

작고 약한 새끼 동물들도 자기 몸을 지키는 방법이 있어요.
새끼 바다표범은 털이 하얘서 눈밭에 납작 엎드리면 적들이 눈인 줄 알고 그냥 지나쳐요.
새끼 사슴은 황갈색 털이 얼룩덜룩해서 나무들 사이에 가만히 서 있으면 적들이 나무로 착각한답니다.
호랑나비 애벌레는 새똥처럼 생긴 덕에 먹이로 인기가 없고요.

정답 16. ① 17. ② 18. ①

어미가 돌봐 주던 새끼들도 나이가 들면 어미를 떠나 혼자 살아가요.
새끼 수사자는 무리를 떠나 혼자 살며 힘을 길러요. 그러다 자기 무리를 만들어 우두머리가 돼요.
어미 여우는 굴을 떠났던 새끼가 돌아오면 냉정하게 쫓아내요. 반갑게 맞아 주었다가 새끼가 영영 어미 주변만 맴돌 수도 있으니까요.
어미 코알라는 무거워져 등에서 떨어진 새끼를 그대로 독립시켜요.

닮음

태어나자마자

66-67쪽 정답이야.

정답 19. 예 20. 아니오 21. 아니오

새끼 얼룩말에게도 어미와 꼭 같은 검정 하양 줄무늬가 있어요.
새끼 달팽이에게도 아직은 연하지만 등껍데기가 있고요.
갈기는 새끼 수사자에게 남자가 되어 간다는 표시로, 자라면서 생겨요.
새끼 낙타의 혹은 젖을 떼고 풀을 먹으면 생기고요.
새끼 금붕어들은 어미가 빨갛든 얼룩덜룩하든 모두 검정이랍니다.

정답 22. ② 23. ① 24. 아니오

새끼동물들은 어른동물보다 힘이 약해서 적들에게 더 잘 잡아먹혀요. 그래서 이미 태어날 때부터 적들을 피할 수 있는 능력이 있어요. 태어나자마자 혼자 힘으로 매달리고 뛰고 헤엄칠 수 있는 것이죠.
그런데 새끼 새는 알에서 깨서 바로 날지는 못해요. 하지만 날 수 있을 때까지 둥지 속에서 어미가 구해 주는 먹이를 먹으며 안전하게 자란답니다.

Round 2 새끼동물 · 69

집중탐구 퀴즈

문제를 잘 읽고 맞는 것을 골라봐. 쉽지 않을걸!

돌고래

사자

25 돌고래 새끼는 어떻게 태어날까?

① 강아지처럼 어미 뱃속에서
② 물고기처럼 알에서
③ 어미 돌고래가 반으로 나뉘어
서

26 어미 돌고래는 새끼를 낳자마자 물 위
로 올려. 왜 그럴까?

① 햇볕으로 따뜻하게 하려고
② 첫 숨 쉬는 걸 도우려고
③ 태어난 걸 축하하려고

27 새끼 돌고래는 무엇을 먹고 자랄까?

① 어미 젖
② 물고기
③ 미역

28 갓 태어난 새끼 사자의 털은 어미와는
달라. 뭐가 다를까?

① 검정 줄무늬가 있어.
② 얼룩얼룩 회색 털이 있어.
③ 곱슬곱슬해.

29 새끼 사자들은 어미의 이것을 가지고
놀면서 사냥 연습을 해. 이것은 무엇
일까?

① 귀   ② 수염   ③ 꼬리

30 어미 사자가 새끼들을 다른 곳으로 데
려가려 해. 어떻게 데려갈까?

① 꼬리를 물고 끌고 가.
② 목덜미를 살짝 물어서 들고 가.
③ 등에 업고 가.

호랑이

엄마, 저 얼룩말도 잡을 수 있어?

그럼! 너도 크면 할 수 있단다.

새

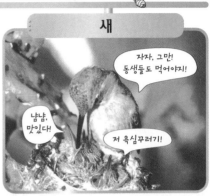

자자, 그만! 동생들도 먹어야지!

냠냠, 맛있다!

저 욕심꾸러기!

31 갓 태어난 새끼 호랑이 털은 어떻게 생겼을까?

① 어미처럼 줄무늬 털이야.

② 표범처럼 점박이 털이야.

③ 사자처럼 무늬가 없어.

32 어미 호랑이는 반쯤 죽은 동물을 새끼에게 줘. 왜 그럴까?

① 잘 돌봐 주라고

② 사냥 연습을 하라고

③ 살려내라고

33 호랑이 새끼들은 다 자라면 어떻게 될까?

① 계속 어미와 함께 살아.

② 어미 곁을 떠나 홀로 살아.

③ 암컷은 남고 수컷만 떠나.

34 새끼 새는 혼자 힘으로 알을 깨고 나올까, 어미가 알을 깨 줄까?

35 어미 새가 먹이를 물고 왔어. 새끼에게 어떻게 줄까?

① 새끼 발 밑에 떨어뜨려.

② 입속에 일일이 넣어 줘.

36 먹이를 물고 온 어미 새는 새끼의 입이 닿지 않는 곳에서 기다리며 무슨 생각을 할까?

① "먹고 싶으면 이리 날아온!"

② "말 안 들으면 굶겨야지."

정답과 해설은 뒤쪽에 있어.

집중탐구 퀴즈 정답 & 해설

돌고래

사자

정답 25. ① 26. ② 27. ①

돌고래는 바다 속에 살지만 물고기가 아니에요. 개나 고양이처럼 새끼를 낳아 젖을 먹여 키우는 젖먹이 동물이랍니다.

또 돌고래는 물고기처럼 아가미가 없고 개나 고양이처럼 폐가 있어서 숨을 쉬려면 물 위로 자주 올라와야 해요. 갓 태어난 새끼들도 숨을 쉬기 위해 제일 먼저 물 위로 헤엄쳐 가요. 이 때 어미는 새끼를 물 위로 밀어 올려 도움을 준답니다.

정답 28. ② 29. ③ 30. ②

새끼 사자는 어른 사자와 생김새가 조금 달라요. 털은 엷은 회색 점들로 얼룩덜룩하고, 수컷 새끼들에게는 아직 갈기가 없어요.

사자는 수컷 한 마리와 여러 마리의 암컷과 새끼가 모여 살아요. 새끼 사자는 무리 속의 다른 새끼들과 어울리기도 하고, 어미의 꼬리로 놀기도 해요. 장난을 치고 노는 사이 사냥하는 방법을 하나씩 익히게 된답니다.

호랑이

새

호랑이처럼 다른 동물을 잡아먹고 사는 동물들은 어릴 때부터 사냥을 익혀요. 장난을 치고 놀며 자연스럽게 연습을 하기도 하고, 어미가 일부러 새끼들에게 반쯤 죽은 동물을 가져다 줘 연습을 시키기도 해요.

사자와 달리 호랑이는 다른 호랑이 가족과 무리를 이루지 않고 자기 가족끼리만 살아요. 다 자란 새끼들은 어미를 떠나 자기 가족을 꾸린답니다.

새끼 새는 부리에 난 이빨로 껍데기를 쪼아서 스스로 깨고 나와요. 하지만 알에서 나와서는 부모가 하루에도 수백 번씩 먹이를 물어다 일일이 입에다 넣어 줘야 해요.

그러다 새끼가 날 때쯤 되면 부모 새는 먹이를 물고는 떨어져서 기다려요. 그러면 배고픈 새끼가 먹이를 향해 날아오를 테니까요. 먹이를 먹으려면 먼저 나는 법을 배워야 한답니다.

70~71쪽 정답이야.

집중탐구 퀴즈

문제를 잘 읽고 맞는 것을 골라봐. 쉽지 않을걸!

닭

에이, 맛 없어! 노른자 먹을 때가 좋았는데.

사이 좋게 나눠 먹으렴.

이런 엄마 아빠도 있어

위험해! 적이 나타났어.

얼른 다친 척 해.

37 병아리는 알 속에 있을 때 무얼 먹었을까?

① 흰자와 노른자
② 알 껍데기
③ 어미 젖

38 알 속에서 병아리를 다치지 않게 보호해 준 것은 무엇일까? (답은 2개)

① 말랑말랑한 흰자
② 보송보송한 솜털
③ 딱딱한 알 껍데기

39 병아리는 딱딱한 알 속에서 숨을 쉬었을까, 안 쉬었을까?

① 그럼, 쉬었지.
② 아니, 안 쉬었어.

40 아빠 가시고기는 죽어서도 새끼를 돌봐. 어떻게 돌볼까?

① 자기가 살 던 집을 내 줘.
② 배고픈 새끼들이 자기 시체를 먹게 해.

41 왜 어미 꼬마물떼새는 위험을 느끼면 날개가 부러진 척 연기를 할까?

① 병든 먹이인 척하려고
② 적의 관심을 자기에게로 돌리려고

42 어미 뻐꾸기는 알을 낳을 둥지를 짓지 않아. 그럼 어디에 알을 낳을까?

① 맨땅
② 물웅덩이
③ 다른 새의 둥지

74

새
끼
동
물

기네스

우리보다 키 큰 동물 나와 보라고 해!

목 세우고 다녀라! 우리 고개 숙이면 끝장이야.

새끼 수의 비밀

오다가 형제를 많이 잃었어.

그래도 다 왔잖아!

짧은 다리로 뛰려니 힘들다!

슬퍼. 우리 거북 운명….

43 땅에 사는 새끼동물 중 누가 가장 무 거울까?

① 새끼 코끼리

② 새끼 하마

③ 새끼 타조

44 땅과 바다를 통틀어 세상에서 가장 무 거운 새끼동물은 누구일까?

① 새끼 코끼리

② 새끼 흰긴수염고래

③ 새끼 멧돼지

45 새끼동물 중에서 누가 가장 키가 클 까?

① 새끼 낙타   ② 새끼 기린

③ 새끼 타조

46 코끼리는 몸집이 크고 힘이 세며, 토 끼는 작고 연약해. 누가 새끼를 더 많 이 낳을까?

47 캥거루는 새끼를 정성껏 돌보지만, 거 북은 알을 낳으면 바로 떠나 버려. 누 구의 새끼가 더 많을까?

48 황제펭귄은 세상에서 가장 추운 곳에 살아. 그럼 알은 몇 개나 낳을까?

① 키우기 힘드니까, 딱 한 개

② 많이 살아남으라고 100개

③ 날씨에 따라 달라.

정답과 해설은 뒤쪽에 있어.

집중탐구 퀴즈 정답 & 해설

닭

> 내가 품으니까 병아리가 나 닮았겠지? 근데 갑자기 삶은 달걀이 먹고 싶네.

> 왜 이러니? 넌 닭이 아니라 돼지잖아.

- 알 껍데기
- 노른자
- 양수
- 병아리
- 흰자위
- 공기 주머니

> 꾸욱

이런 엄마 아빠도 있어

> 넌 다른 애들하고는 좀 다르지만…, 그래도 사랑해!

> 나도요, 아줌마…, 아니, 어, 어, 엄마!

> 일부러 밀어내다니!

> 저 녀석

정답 37. ① 38. ①, ③ 39. ①

알 속 새끼 병아리는 흰자위와 노른자위를 먹으며 자라요. 이 중 말랑말랑한 흰자위는 단단한 껍데기와 함께 새끼 병아리가 다치게 않게 보호해 줘요.

알을 자세히 들여다보면 껍데기에 작은 숨구멍들이 있어요. 이 구멍으로 공기가 드나들어 새끼 병아리가 숨을 쉴 수 있어요.

어미 닭은 알을 골고루 따뜻해지라고 이리저리 굴리며 3주 동안 품어요.

정답 40. ② 41. ② 42. ③

가시고기 수컷은 둥지를 지어 알과 새끼를 지극정성으로 돌봐요. 그러다 죽어서는 새끼의 먹이가 되고요.

꼬마물떼새는 적이 나타나면 다친 척 연기를 해요. 적의 관심을 새끼에게서 자신에게로 돌리려는 것이에요.

어미 뻐꾸기는 자기 둥지를 짓지 않고 다른 새의 둥지에 알을 낳는답니다.

기네스

새끼 수의 비밀

정답 43. ① 44. ② 45. ②

어른동물들의 기록은 새끼동물에게서도 마찬가지예요. 땅에서는 110킬로그램의 새끼 코끼리가, 땅과 바다를 합쳐서는 2,700킬로그램의 흰긴수염고래가 가장 무거워요. 키는 170센티미터의 새끼 기린이 가장 크답니다.

알의 크기 기록도 마찬가지예요. 가장 큰 새인 타조가 가장 큰 알을, 가장 작은 새인 벌새가 가장 작은 알을 낳는답니다.

정답 46. 토끼 47. 거북 48. ①

동물들은 자신의 환경에 적응해 새끼를 낳아요. 힘이 약해 적이 많거나 새끼를 돌보지 않는 동물은 알과 새끼를 많이 낳아요. 다 자라서 어른이 되는 새끼가 적으니 아예 많이 낳는 것이죠.

새끼를 키우기 힘든 환경에 사는 동물들은 알과 새끼를 적게 낳기도 해요. 세상에서 가장 추운 곳에 사는 황제펭귄은 알을 하나만 낳아서 정성껏 돌본답니다.

74-75쪽 정답이야.

속담 퀴즈 열쇠를 찾아봐. 속담이 보일 거야.

못된 송아지 엉덩이에 ▨ 난다.

➜ 잘나지도 못한 녀석이 건방지고
못된짓만 한다.

고슴도치도 제 새끼 ▨▨한다.

➜ 누구나 제 자식은 귀여워한다.

▨▨강아지 같다.

➜ 할일 없이 여기저기 쏘다닌다.

하룻강아지 ▨ 무서운 줄 모른
다.

➜ 겁없이 덤빈다.

개구리 ▨▨▨ 적 생각 못 한
다.

➜ 형편이 조금 나아졌다고 옛날을
잊고 잘난 척한다.

발탄

범

올챙이

함함

뿔

쉬어가기

또또 퀴즈 숨은 그림을 찾아봐!

정답 125쪽

다음 두 그림에서 서로 다른 곳은 몇 군데일까?

33쪽 정답

과연~
만만치 않을걸?

또또 퀴즈~ 정말 재미있다. 어디 어디 숨었을까?

Round 2 새끼동물 · 79

물고기

엄마는 어디 있어?

알 낳고 바로 떠나셨어.

이제 우리가 스스로를 지켜야 해!

해마

우리 아가들이 내가 엄만줄 알면 어쩌지?

49 물고기는 알을 많이 낳아. 이 모든 알이 어른 물고기가 될까?

① 그럼, 어미가 잘 돌봐 주니까.
② 아니, 대부분 죽고 어른이 되는 새끼는 아주 적어.

50 새끼 물고기는 처음엔 입이 없어. 그런데 어떻게 사는 걸까?

① 아가미로 물만 먹고서
② 몸속에 저장된 영양분으로
③ 꼼짝도 않고 가만 있어서

51 물고기는 알을 낳기 전에 먹이를 많이 먹어 둬. 왜 그럴까?

① 알을 낳을 힘을 기르려고
② 새끼 몸속에 넣어 줄 영양분을 준비하느라고

52 어미 해마는 알을 특별한 곳에 낳아. 어디에 낳을까?

① 조개 속   ② 상어 등 위
③ 해마 수컷의 배주머니

53 수컷은 수컷의 배주머니 속 알에서 새끼 해마들이 깨어난 후 어떻게 할까?

① 배주머니를 나가기 전까지 정성껏 돌봐.
② 물속에 풀어 줘.

54 해마는 암컷과 수컷이 평생을 사이 좋게 살아. 새끼와도 그럴까?

① 그럼, 평생을 돌보며 살아.
② 아니, 낳은 다음엔 신경도 안 써.

개구리

뒷다리가 나오려나 봐.

꼬리가 근질근질하네.

뱀

나 허물 벗고 더 길어진 것 같지 않아?

글쎄….

55 개구리 알은 이것에 싸여 있어서 쉽게 뜨거워지거나 차가워지지 않아. 이것은 무엇일까?

① 우무질   ② 유리질
③ 석회질

56 개구리는 다리로 헤엄을 쳐. 그럼 다리가 없는 올챙이는 어떻게 헤엄을 칠까?

① 꼬리로   ② 지느러미로
③ 수염으로

57 올챙이 꼬리는 언제 없어질까?

① 다리가 나오기 전에
② 네 다리가 다 나온 후에
③ 알을 낳기 전에

58 새 알은 딱딱하고 반질반질해. 뱀 알도 그럴까?

① 그럼, 알은 다 똑같아.
② 아니, 뱀 알은 물렁물렁하고 쭈글쭈글해.

59 새끼 새는 알 껍데기를 부리로 쪼아서 깨고 나와. 새끼 뱀은 어떻게 나올까?

① 새끼 새처럼 알을 쪼아 깨고서
② 이빨로 알을 찢고서
③ 꼬리로 알을 깨뜨려서

60 새끼 뱀은 어떻게 몸이 자랄까?

① 헌 비늘을 벗어 내면서
② 비늘이 점점 두터워지면서
③ 꼬리 쪽만 계속 자라면서

정답과 해설은 뒤쪽에 있어.

집중탐구 퀴즈 정답 & 해설

물고기

해마

정답 49. ② 50. ② 51. ②

물고기들은 보통 알을 낳기만 하고 돌보지 않아요. 또 대부분의 알과 새끼는 물살에 떠내려가거나 다른 동물한테 잡아먹혀 어른이 되는 새끼는 매우 적어요.

새끼 물고기들은 처음엔 입이 없고 먹이 구할 힘도 없지만, 몸속 난황이라는 영양분으로 살아가요. 그래서 어미는 새끼들의 난황이 될 영양분을 얻기 위해 알을 낳기 전에 많이 먹는답니다.

정답 52. ③ 53. ① 54. ②

해마는 암컷이 수컷의 배주머니에 알을 낳으면 수컷이 돌봐요. 수컷은 알에 산소와 영양을 주고, 새끼가 깨어나면 배주머니에서 키워요. 암컷은 새끼가 잘 크는지 보려고 매일 아침 수컷에게 인사를 하러 와요. 하지만 새끼가 배주머니에서 나가면 더 이상 돌보지 않아요. 대신 암컷이 수컷의 배주머니에 알을 낳아서 다시 새끼를 얻을 준비를 해요.

개구리

뱀

80-81쪽 정답이야.

거북

난 100형제 중에 살아남은 15마리 중 한 마리야.

악어

엄마, 나 태어났을 때 알 깨느라 고생했죠?

그래, 그러니 말 좀 잘 들으렴.

61 거북은 물속에서 살고 땅에서도 살아. 그럼 알은 어디에 낳을까?

① 따뜻한 바다 속

② 따뜻한 모래 속

③ 양쪽 모두

62 새끼 거북들은 알에서 깨면 다른 새끼들이 깰 때까지 기다려. 왜 기다릴까?

① 힘을 합쳐서 무거운 모래를 헤쳐 나가려고

② 몸의 물을 말리려고

63 바다거북은 100개 정도의 알을 낳아. 이 중 몇 마리나 바다로 돌아갈까?

① 모두 다   ② 50마리 정도

③ 15마리 정도

64 어미 거북은 알을 낳고는 그냥 가 버려. 어미 악어도 알을 낳고는 그냥 떠나 버릴까?

65 어미 악어는 새끼들이 알에서 깨는 걸 도와 줘. 어떻게 도와 줄까?

① 따뜻하게 품어 줘.

② 살짝 깨물어서 알을 깨 줘.

③ 새끼를 알에서 잡아당겨 줘.

66 어미 악어는 알에서 깬 새끼들을 입 속에 넣어. 왜 그럴까?

① 물가로 데려가려고

② 따뜻하게 해 주려고

③ 겁을 주려고

꿀벌	개미

여왕님 알을 목숨바쳐 지켜낼게요.

난 날 때부터 귀족이었지.

67 벌통 안의 벌들은 모두 이 벌의 아들과 딸이야. 이 벌은 누구일까?

① 일벌　② 여왕벌　③ 수벌

68 여왕벌이 될 애벌레가 유일하게 먹는 건 뭘까?

① 여왕벌의 독침
② 로열젤리
③ 꽃

69 꿀벌 애벌레가 하는 일이라곤 먹는 일 뿐이야. 왜 그럴까?

① 먹이 구하는 방법을 몰라서
② 너무 커서 못 움직여서
③ 몸에 입밖에 없어서

70 꿀벌은 여왕벌만 알을 낳아. 그럼 개미도 여왕개미만 알을 낳을까?

71 여왕개미는 태어날 때부터 정해진 걸까, 특별 음식을 먹여서 키워 내는 걸까?

① 태어날 때부터 정해져.
② 특별 음식을 먹여 키워.

72 아기는 배가 고프면 울어. 그럼 배고픈 개미 애벌레는 어떻게 할까?

① 아기처럼 울음을 터뜨려.
② 입을 벌리고 윗몸을 일으켜.
③ 땅에 발을 굴러.

정답과 해설은 뒤쪽에 있어.

집중탐구 퀴즈 정답 & 해설

거북

악어

정답 61.② 62.① 63.③

거북은 알을 낳고는 그냥 떠나 버려요. 알에서 깬 새끼들은 어미의 도움 없이 서로 힘을 합쳐 무거운 모래를 헤치고 나와요.
모래 밖으로 나온 새끼들은 곧장 바다로 향해요. 이 때 게나 갈매기에게 잡아먹히지 않으려고 전속력으로 달리지요. 하지만 많은 새끼가 잡아먹히고 바다에 도착하는 새끼는 얼마 안 된답니다.

정답 64. 아니오 65.② 66.①

악어는 먹이를 사냥할 땐 잔인하지만, 새끼를 돌볼 땐 한없이 부드럽고 정성을 다해요.
어미 악어는 알이 부화되는 2개월 동안 한시도 떠나지 않고 알을 지키느라 먹지도 못해요. 새끼가 알에서 깰 때는 단단한 알 껍데기를 살짝 깨물어서 쉽게 나오게 도와줘요. 또 알에서 깬 새끼를 조심스레 입속에 넣어 물가로 옮겨 준답니다.

꿀벌

개미

정답 67.② 68.② 69.③

벌은 여왕벌만 알을 낳아요. 일벌도 암컷이지만 알을 못 낳고 온갖 일을 도맡아 해요.

여왕벌과 일벌은 암컷 애벌레 때 먹었던 먹이로 결정돼요. 로열젤리만 먹으면 여왕벌이 되고, 로열젤리와 벌빵을 먹으면 일벌이 돼요.

벌 애벌레는 입밖에 없어서, 하는 일이라곤 먹이를 받아 먹고 자라는 일뿐이랍니다.

정답 70.예 71.① 72.②

개미도 꿀벌처럼 여왕개미만 알을 낳아요. 그런데 이미 알일 때부터 여왕개미, 일개미, 수개미로 정해져 있어요.

애벌레들은 눈도 없고 다리도 없어서 언니 일개미들이 일일이 돌봐 줘요. 방이 추우면 따뜻한 방으로 옮겨 주고, 애벌레들이 윗몸을 일으켜 배가 고프다는 표시를 하면 달콤한 먹이를 토해 줘요.

84-85쪽 정답이야.

집중탐구 퀴즈

문제를 잘 읽고 맞는 것을 골라봐. 쉽지 않을걸!

배춧잎은 너무너무 맛있어.

못생겼다 무시했지? 난♪ 다시 태어 난 거야♬

73 배추흰나비는 어디에 알을 낳을까?

① 호박잎
② 호랑가시나무
③ 배춧잎이나 무잎

74 배추벌레는 배춧잎 위에 있으면 눈에 잘 안 띄어. 왜 그럴까?

① 너무 작아서
② 배춧잎과 색깔이 비슷해서
③ 색깔이 투명해서

75 배추벌레는 알에서 깼을 때 노란색이야. 어떻게 초록으로 변한 걸까?

① 배춧잎과 몸 색깔을 맞춰서
② 초록색 배춧잎을 먹어서
③ 성장 호르몬이 나와서

76 꿈틀꿈틀 초록 배추벌레가 어떻게 하양 배추흰나비가 될 수 있을까?

① 로열젤리를 먹고 나서
② 번데기가 되었다 깨어나서
③ 겨울잠을 자고 나서

77 배추벌레는 번데기가 될 때쯤 몸 색깔이 연해져. 왜 그럴까?

① 배춧잎에서 안 살아서
② 배춧잎을 안 먹어서
③ 흰색 먹이를 먹어서

78 배추벌레는 자유롭게 움직이며 먹이를 구해. 번데기도 그럴까?

① 그럼, 번데기도 배춧잎을 먹어.
② 아니, 아무것도 안 먹고 가만 있어.

매미	모기

5년 동안 이 순간만을 기다려 왔다! 마지막 탈피!

으흐흐! 역시 안 씻는 인간의 피가 달콤해!

79 매미 애벌레는 알이 있던 나무 껍질 속에서 살지 않아. 어디서 살까?

① 물속   ② 땅속
③ 나뭇잎 위

80 땅속에 살던 매미 애벌레가 어느 날부터 굴을 파기 시작해. 이유는 뭘까?

① 땅 위로 올라가려고
② 숨을 쉬려고
③ 먹이를 잡으려고

81 매미 애벌레는 땅속에서 5년을 살아. 그럼 땅 위에서 어른이 된 후에 얼마나 살까?

① 단 15일   ② 5년
③ 땅속에서보다 훨씬 긴 50년

82 어미 모기가 알을 낳기 위해 꼭 하는 일은 뭘까?

① 꽃의 꿀 빨아 먹기
② 동물의 피 빨아 먹기
③ 웽웽 울어 대기

83 어미 모기는 축축한 물웅덩이와 바싹 마른 나뭇잎 중에서 어디에 알을 낳을까?

84 모기 애벌레는 알에서 깨서 금방 어른이 돼. 얼마나 걸릴까?

① 딱 하루
② 2주일 정도
③ 한 달

정답과 해설은 뒤쪽에 있어.

배추흰나비 1

배추흰나비 2

정답 73.③ 74.② 75.②

나비는 애벌레가 잘 먹는 식물을 찾아 알을 낳아요. 배추흰나비도 배추벌레가 좋아하는 배춧잎이나 무잎에 알을 낳아요. 노란색 알은 연두색, 짙은 노란색, 주황색 순서로 변하다가 배추벌레가 깨어나요.
배추벌레는 처음엔 노랗지만 배춧잎을 먹으면서 점점 초록으로 변해요. 초록 몸은 적들의 눈에 잘 띄지 않는답니다.

정답 76.② 77.② 78.②

배추벌레는 날개가 없는 초록 몸에 잔털만 빽빽해요. 그러다 번데기가 되었다 깨어나면 하양 날개를 단 예쁜 배추흰나비가 돼요.
갈색의 딱딱한 번데기는 먹지도 않고 움직이지도 않아요. 그러기를 7~10일, 색깔이 투명해지면 배추흰나비가 기어 나오기 시작해요. 젖었던 날개가 마르고 활짝 펼쳐지면 드디어 하늘을 날게 된답니다.

매미

모기

정답 79. ② 80. ① 81. ①

매미는 나무껍질 속에 알을 낳아요. 1년이 지나면 애벌레가 깨어나 땅속으로 파고들어요.

애벌레는 땅속에서 5~6년을 보낸 후 굴을 파서 땅 위로 올라가요. 나무에 붙어 마지막 허물을 벗고 나면 마침내 어른 매미가 돼요.

하지만 매미는 고작 15~20일밖에 못 살고 죽어요. 수컷은 짝짓기 후, 암컷은 알을 낳은 후에 죽는답니다.

정답 82. ② 83. 물웅덩이 84. ②

모기는 암컷만 동물 피를 빨아요. 알을 낳으려면 영양분이 필요하니까요. 수컷은 꽃의 꿀이나 과일즙을 빨아 먹어요.

모기는 더운 한여름에 고인 물 위에 알을 낳아요. 알에서 어른벌레가 되는 데에는 14일밖에 걸리지 않아요. 그래서 여름철 밤마다 모기를 잡고 또 잡아도 끝없이 계속 나타난답니다.

88-89쪽 정답이야.

집중탐구 퀴즈

문제를 잘 읽고 맞는 것을 골라봐. 쉽지 않을걸!

거미

거미줄로 만든 맞춤설계 알집에서 태어 났어. 난 특별 하니까!

잘못 알고 있어

엄마, 젖 줘!

어머나! 새가 젖이 어디 있니? 얘는 망측하게!

---

85 거미의 알들은 알주머니에 들어 있어. 알집은 무엇으로 만들까?

① 거미줄
② 나뭇잎
③ 흙

86 새끼 거미들이 알에서 깨어났어. 알집 에서 바로 빠져나올까, 얼마쯤 머물다 나올까?

87 새끼 거미들은 하늘을 날아서 다른 곳 에 갈 수 있어. 어떻게 날까?

① 날개로 날아서
② 새를 타고
③ 바람을 타고

88 살무사는 '어미를 죽이는 뱀'이라는 뜻이래. 정말 새끼가 어미를 죽일까?

① 그럼, 새끼지만 너무 잔인해.
② 아니, 이름 때문에 생긴 오해 야.

89 새끼 비둘기가 젖을 먹고 자란대. 그 럼 어미 비둘기도 젖꼭지가 있을까?

① 그럼, 젖꼭지가 하나 있어.
② 아니, 비둘기는 젖먹이동물이 아니야.

90 왜 해마는 암컷이 아니라 수컷이 새끼 를 낳는다고 할까?

① 알이 아빠의 배주머니에서 깨 어나서
② 엄마는 안 닮고 아빠만 닮아서

알? 새끼?

이 보게들! 집사람이 오늘 새끼를 낳았다네!

그래? 축하하네!

예외도 있어

난 이래 봬도 새끼를 낳는다고.

91 토끼는 알을 낳을까, 새끼를 낳을까?

92 비둘기와 제비는 알을 낳을까, 새끼를 낳을까?

93 소, 돼지, 캥거루는 알을 낳을까, 새끼를 낳을까?

94 다음 중 젖먹이동물이지만 알에서 새끼가 깨어나면 젖을 먹여 키우는 동물은 누구일까?

① 캥거루　　　② 돌고래
③ 오리너구리

95 살무사가 새끼를 얻는 방법은 보통 뱀들과 달라. 어떻게 새끼를 얻을까?

① 새끼를 낳아.　② 씨앗을 심어.
③ 배속에 알을 품어 새끼가 깨어나면 낳아.

96 개나 고양이처럼 새끼를 낳는 상어가 있어. 누구일까?

① 귀상어
② 고래상어
③ 뱀상어

정답과 해설은 뒤쪽에 있어.

집중탐구 퀴즈 정답 & 해설

거미

잘못 알고 있어

정답 85. ① 86. 머무른다 87. ③

거미는 낳은 알들을 뭉쳐 덩어리로 만든 다음 거미줄로 감싸서 돌봐요. 이 덩어리를 알집이라고 해요. 알에서 깬 새끼들은 한두 번 허물을 벗은 후 알집 밖으로 나와요.

새끼들은 처음 며칠은 모여 살아요. 그러다 나무나 풀 위로 기어가거나 실을 타고 올라가며 흩어져요. 어떤 새끼들은 바람을 타고 날아가기도 해요.

정답 88. ② 89. ② 90. ①

새끼 살무사는 어미를 죽이지 않아요. 한자 이름(殺母蛇 : 살모사)을 오해한 것 뿐이에요. 비둘기 젖(pigeons milk)은 우유 같은 젖이 아니에요. 부모 새의 모이주머니에서 만들어지는 두유와 비슷한 액체예요.

해마 아빠가 개나 고양이처럼 배속에 새끼를 키워 낳는 건 아니에요. 새끼들이 배주머니에서 나오는 모습이 꼭 태어나는 것처럼 보일 뿐이에요.

알? 새끼?

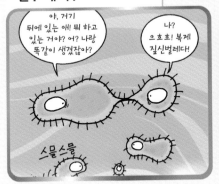

예외도 있어

정답 91. 새끼 92. 알 93. 새끼

동물들이 알과 새끼를 낳는 건 자손을 이어가기 위해서예요. 젖먹이동물들은 대부분 새끼를 낳고, 다른 동물들은 알을 낳아요.
하지만 알과 새끼를 낳지 않고 자손을 이어가는 동물도 많아요. 짚신벌레는 자기 몸을 계속 반으로 나누면서 자손을 늘여 가요. 또 자기 몸의 일부를 혹처럼 떼어 내서 자손을 이어가는 동물도 있어요.

정답 94. ③ 95. ③ 96. ①

오리너구리는 젖먹이동물이지만 알을 낳아요.
살무사는 알을 바로 낳지 않고 알을 배속에 품었다가 새끼가 깨어나면 새끼를 낳아요. 쉬파리도 살무사와 같은 방법으로 새끼를 낳고요. 상어 중에서는 알을 낳는 것도 있고, 살무사처럼 새끼를 낳는 것도 있어요. 또 젖먹이동물처럼 새끼를 낳는 것도 있는데, 귀상어가 바로 그렇답니다.

92-93쪽 정답이야.

stage 4

교과서 도전 퀴즈

학교 시험에는 어떻게 나올까? 도전해봐!

정답 98쪽

---

1 새끼와 어미의 모습   3학년

소

양

1. 새끼와 어미의 모습이 비슷하다. (○ , ×)

2. 모두 알을 낳아 기른다. (○ , ×)

3. 모두 젖을 먹여 키운다. (○ , ×)

4. 새끼와 어미를 서로 찾기가 쉽다. (○ , ×)

---

2 새끼와 어미의 모습   3학년

개구리

올챙이

1. 올챙이는 다리가 있다. (○ , ×)

2. 개구리는 헤엄을 치기 좋게 꼬리가 있다. (○ , ×)

3. 올챙이의 꼬리는 네 다리가 다 나온 후에 없어진다. (○ , ×)

4. 새끼와 어미의 모습이 다르다. (○ , ×)

98쪽 정답 **5** 1.○ 2.× 3.× 4.○ **6** 1.○ 2.○ 3.× 4.× 5.○

기대하시라!

개구리

사슴벌레

나비

모기

1. 모두 알을 낳는다. (○ , ×)

2. 모두 어미와 새끼의 모습이 비슷하다. (○ , ×)

3. 새끼의 모습이 자라면서 많이 변한다. (○ , ×)

다음은 새끼와 어미의 모습에 대한 설명입니다.

• 주로 새끼를 낳는 동물은 어미와 새끼의 모습이 비슷하고, 알을 낳는 동물은 어미와 새끼의 모습이 다르다.

다음 동물의 새끼와 어미의 모습을 바르게 연결해 보세요.

1.   •

 ㉠

2.   •

 ㉡

3.   •

㉢

교과서 도전 퀴즈

학교 시험에는 어떻게 나올까? 도전해봐!

정답 96쪽

---

5 동물의 구애 행동   3학년

큰가시고기

공작

개구리

1. 큰가시고기 수컷의 몸 색깔이 변하는 것을 혼인색이라고 한다. (○ , ×)

2. 울음주머니가 있는 개구리 암컷이 크게 울어 수컷을 불러들인다. (○ , ×)

3. 큰가시고기 수컷의 등 쪽은 붉은색, 배 쪽은 푸른색으로 변한다. (○ , ×)

4. 공작은 수컷이 화려한 모습을 뽐내며 암컷을 유혹한다. (○ , ×)

---

6 짝짓기 후의 변화   3학년

 ➡ ➡  ➡

말의 새끼 낳는 과정

1. 새끼를 낳기 전 말의 배가 아주 커졌다. (○ , ×)

2. 짝짓기 후에 젖이 커진다. (○ , ×)

3. 말과 같이 새끼를 낳는 동물 중에는 개구리, 닭 등이 있다. (○ , ×)

4. 말과 같이 몸집이 큰 동물은 주로 한 번에 새끼를 10마리 이상 낳는다. (○ , ×)

5. 새끼에게 젖을 먹여 키운다. (○ , ×)

96쪽 정답 **1** 1.○ 2.× 3.○ 4.○   **2** 1.× 2.× 3.○ 4.○

7 **개구리의 한살이**

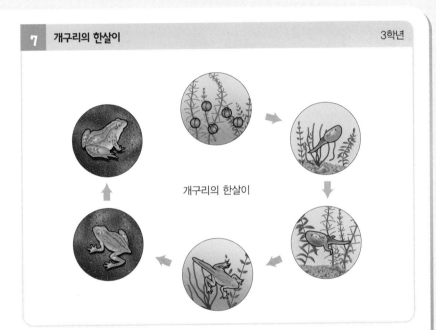

개구리의 한살이

위의 그림을 보고 개구리의 한살이 과정을 순서에 맞게 나열하세요.

㉠ 앞다리가 나온다.	㉡ 꼬리가 없어지고 어린 개구리가 된다.
㉢ 올챙이가 되어 알에서 나온다.	㉣ 물속에 우무질로 싸인 알을 낳는다.
㉤ 뒷다리가 나온다.	㉥ 꼬리가 짧아지고 허파로 숨을 쉰다.

(   )

3 Round

곤충과 벌레

stage 3

● **집중탐구 퀴즈**

stage 4

● **교과서 도전 퀴즈**

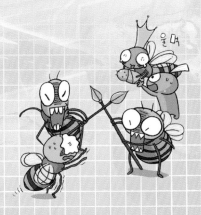

stage 1

OX 퀴즈

맞으면 ○, 틀리면 ×에 ◯표 하는 거야. 이제 시작이라구!

정답 104쪽

1 벌레는 모두 곤충이다.

2 매미는 겨울에 볼 수 있다.

3 곤충의 몸은 머리, 가슴, 배로 나뉜다.

4 곤충의 귀도 사람처럼 머리에 있다.

5 곤충의 피는 노란색이거나 무색이다.

6 곤충이 알 → 애벌레 → 번데기 → 어른벌레로 모습을 바꾸는 것을 불완전변태라고 한다.

7 거미는 거미줄을 이용하여 알을 보호한다.

8 곤충은 우리에게 해를 끼치기만 한다.

각 쪽을 잘 보고, 답을 맞춰봐. 누가 더 많이 맞췄을까……

있다없다 퀴즈

있을까? 없을까? 알쏭달쏭~~ 비밀의 문을 열어봐!

정답 105쪽

1 가을에는 귀뚜라미를 볼 수 ~

있다　없다

2 곤충의 배에는 숨구멍이 ~

있다　없다

3 소리를 내는 곤충은 귀가 ~

있다　없다

4 곤충의 피에는 헤모글로빈이 라는 색소가 ~

있다　없다

5 머리에서 꼬리까지 길이가 30센티미터가 넘는 곤충이 ~

있다　없다

6 곤충은 의사소통을 할 수 ~

있다　없다

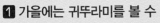

106-107쪽 정답 1① 2① 3① 4② 5② 6① 7② 8①

네모 퀴즈

네모 안에 들어갈 말은 뭘까? 답은 둘중 하나!

정답 106쪽

1 곤충의 입은 〰️에 따라 생김새가 다르다. ·················· 사는 곳 〉 먹이

2 곤충은 〰️에 따라 체온이 변한다. ·········· 날씨 〉 장소

3 나비의 입은 〰️ 입이다. ··············· 씹는 〉 빠는

4 곤충은 대부분 더듬이나 몸 겉의 〰️로 소리를 듣는다. ·········· 털 〉 피부

5 나비의 날개에는 〰️이(가) 있어서 비가 와도 젖지 않는다. ·········· 기름 〉 비늘가루

6 곤충의 암컷은 애벌레가 〰️를 구하기 쉬운 곳에 알을 낳는다. ·········· 친구 〉 먹이

7 수개미는 여왕개미와 짝짓기를 끝낸 후 〰️. ·········· 죽는다 〉 떠난다

8 하루살이나 모기는 〰️을 좋아한다. ········· 물 〉 빛

102쪽 정답 **1** × **2** × **3** ○ **4** × **5** ○ **6** × **7** ○ **8** ×

104

사다리 퀴즈

알쏭달쏭 수수께끼! 사다리를 타면 답이 나와.

정답 107쪽

1 잘못이 없어도 싹싹 비는 것은?

2 점을 치는 벌레는?

3 그물 치고 먹이를 잡는 것은?

4 날아다니는 불은?

5 세상에서 제일 빠른 벌레는?

6 이겨도 진다는 소리만 듣는 것은?

7 세상에서 제일 작은 방은?

8 강아지는 강아지인데 짖지 않는 강아지는?

지네

거미

나방

바퀴벌레

무당벌레

반딧불이

땅강아지

파리

왜?왜? 퀴즈

왜? 왜 그럴까? 숨겨진 이유를 찾아봐.

정답 103쪽

🔵 왜 곤충은 지구상에서 종류와 수가 가장 많을까?

① 환경에 잘 적응해서
② 잘 잡아먹히지 않아서

🔵 왜 모기는 귀가 없을까?

① 더듬이로 소리를 들어서
② 소리를 듣지 않아서

🔵 왜 소금쟁이는 물 위에서 살까?

① 물에 젖지 않는 털이 다리에 있어서
② 소금을 먹기 위해서

🔵 왜 매미는 놀라서 도망칠 때 오줌을 눌까?

① 영역 표시를 해 두려고
② 날 때 몸을 가볍게 하려고

🐾 104쪽 정답 1 먹이 2 날씨 3 빠는 4 털 5 비늘가루 6 먹이 7 죽는다 8 빛

왜 바퀴는 전등을 켜면 쏜살같이 달 아날까?

① 사람이 무서워서
② 밝은 빛을 싫어해서

왜 쥐며느리와 게는 같은 무리에 속 할까?

① 둘 다 껍데기가 딱딱해서
② 둘 다 다리가 많아서

왜 무당벌레는 색이 화려할까?

① 햇빛을 잘 받으려고
② 독이 있다고 경고하려고

왜 천적인 곤충으로 해충을 없앨까?

① 환경 파괴를 줄이기 위해
② 천적의 수가 많아서

105쪽 정답 **1** 파리 **2** 무당벌레 **3** 거미 **4** 반딧불이 **5** 바퀴벌레 **6** 지네 **7** 나방 **8** 땅강아지

곤충의 특징

머리, 가슴, 배가 어쩜 저리 매끈하니?

쭉 뻗은 다리 여섯 개는 어떻고!

나는야 곤충계의 슈퍼모델!

곤충의 종류

알립니다! 풀에 사는 곤충은 빨리 모여 주시기 바랍니다.

무슨 일이래? 사마귀에게 무슨 일이 생겼나?

1 벌레에는 곤충도 있고 곤충이 아닌 동물도 있어. 다음 중 곤충은 어느 것일까? (답은 2개)

> 개미, 지네, 거미
> 지렁이, 소금쟁이

2 우리 몸은 크게 머리와 몸통으로 나뉘어. 곤충의 몸은 어떻게 나눌까?

① 더듬이, 가슴, 날개
② 머리, 가슴, 꼬리
③ 머리, 가슴, 배

3 나방, 벌과 같은 곤충은 다리의 수가 모두 같아. 다리는 몇 개일까?

① 지렁이처럼 0개
② 개미처럼 6개
③ 지네처럼 아주 여러 개

4 맴맴! 우렁찬 매미 소리를 들을 수 있는 계절은 언제일까?

① 봄　　② 여름　　③ 가을

5 다음 중 가을에 풀밭에서 볼 수 있는 곤충은 무엇일까?

① 소금쟁이　　② 장수풍뎅이
③ 귀뚜라미

6 나무진을 먹는 장수풍뎅이는 어디에서 살까?

① 풀밭　　② 나무　　③ 물 위

곤충의 몸

후! 숨쉬기가 힘드네. 배에 있는 숨구멍이 막혔나?

외골격

단단한 껍데기 옙♪

몸을 지탱해

매끈한 키틴질 옙♫

물에 젖지 않게 해 준다네♪

---

7 다음 중 사람의 머리에는 있고, 곤충의 머리에는 없는 것은 무엇일까?

① 눈   ② 코   ③ 입

8 곤충의 다리는 6개야. 곤충의 다리는 몸의 어디에 있을까?

① 머리   ② 가슴   ③ 배

9 곤충의 배는 짧은 여러 마디로 되어 있어. 다음 중 곤충의 배가 하는 일은 무엇일까? (답은 2개)

① 냄새를 맡아.   ② 숨을 쉬어.
③ 자손을 퍼뜨려.

10 우리 몸은 피부로 싸여 있어서 부드러워. 단단한 껍데기로 싸인 곤충의 몸은 어떨까?

① 찐득찐득해.   ② 물컹물컹해.
③ 매끌매끌해.

11 곤충은 뼈가 없는데 무엇으로 몸을 지탱할까?

① 단단한 껍데기로
② 기다란 더듬이로
③ 커다란 날개로

12 곤충의 몸은 물에 젖지 않아. 왜 그럴까?

① 양초 같은 물질로 싸여 있어서
② 비닐이 덮여 있어서
③ 기름으로 싸여 있어서

정답과 해설은 뒤쪽에 있어.

곤충의 특징

곤충의 종류

정답 1. 개미, 소금쟁이 2. ③ 3. ②

벌레는 꼬물거리며 기어 다니는 동물을 이르는 말로, 벌레엔 곤충도 있고, 곤충이 아닌 동물도 있어요. 곤충은 몸이 머리, 가슴, 배로 나뉘고 다리가 6개인 동물이에요. 머리에는 더듬이와 겹눈, 입이 있고, 가슴에는 다리와 날개가 있어요.
거미나 전갈처럼 몸이 머리가슴, 배로 나뉘고 다리가 6개보다 많거나, 지렁이처럼 몸이 여러 마디로 나뉘고 다리가 없는 벌레는 곤충이 아니에요.

정답 4. ② 5. ③ 6. ②

계절에 따라 볼 수 있는 곤충이 달라요. 여름에는 맴맴 매미를 볼 수 있고, 가을에는 귀뚤귀뚤 귀뚜라미를 볼 수 있어요.
곤충은 풀, 나무, 물 등 사는 곳이 달라요. 사슴벌레, 장수풍뎅이, 매미, 하늘소는 나무에 살고, 여치, 방아깨비, 사마귀는 풀밭에서 살아요. 물에는 물 위에 사는 소금쟁이와 물속에서 사는 물장군, 물방개 등이 있어요.

곤충의 몸

외골격

정답 7.② 8.② 9.②, ③

곤충의 몸은 머리, 가슴, 배의 3부분으로 나뉘어요. 머리에는 눈, 더듬이, 입이 있어서 보고, 느끼고, 먹는 일을 해요. 가슴에는 날개와 다리가 있어서 날기, 걷기, 뛰기, 헤엄치기 등을 해요. 배는 보통 10~11개의 짧은 마디로 되어 있는데, 마디마다 숨구멍이 있어요. 또 심장과 소화기관, 생식기가 있어서 숨을 쉬고, 영양분을 흡수하고 자손을 퍼뜨리는 일을 해요.

정답 10.③ 11.① 12.①

곤충은 몸속에 등뼈가 없는 '무척추동물' 이면서 몸이 여러 마디로 이루어진 '절지동물' 이에요.
곤충은 뼈 대신 몸 바깥 부분을 둘러싸고 있는 단단한 껍데기로 몸을 지탱해요. 이 단단한 껍데기를 '겉뼈대' 또는 '외골격' 이라고 해요. 외골격은 몸속 내장을 감싸서 보호해요. 또 '키틴질' 이라는 양초 같은 물질로 싸여 있어 몸이 물에 젖거나 물기가 마르지 않게 해요.

108-109쪽 정답이야.

다리

뒷다리 쟤는 너무 굵지 않냐?

길면 뭐 해! 우리처럼 얇아야지.

내 덕에 멀리 뛸 수 있다는 걸 잊으셨나?

날개

나비 너 가슴 근육만 너무 발달한 거 아니니?

날려면 가슴근육을 움직여야 해서 ….

미스터 가슴근육 대회에 나가도 되겠다.

13 사람의 몸에는 다리를 구부리게 하는 무릎이 있어. 곤충에도 있을까?

① 그럼, 있어.

② 아니, 없어.

14 땅속에 사는 땅강아지는 앞다리가 굵고 삽처럼 생겼어. 왜 그럴까?

① 먹이를 잡기 쉽게

② 흙을 파헤치기 쉽게

③ 적을 공격하기 쉽게

15 메뚜기의 뒷다리는 뜀뛰기를 잘 할 수 있도록 어떻게 생겼을까?

① 굵고 짧아.

② 굵고 길어.

③ 가늘고 길어.

16 대부분의 곤충은 잠자리와 나비처럼 날개가 2쌍이야. 파리와 모기도 그럴까?

① 그럼, 2쌍이야.

② 아니, 1쌍이야.

17 곤충의 날개는 가슴에 달려 있어. 날갯짓은 어떻게 할까?

① 날개만 움직여서

② 배근육을 움직여서

③ 가슴근육을 움직여서

18 나비는 앞날개와 뒷날개를 같이 움직이면서 날아. 잠자리도 그럴까?

① 그럼, 같이 움직여.

② 아니, 4장의 날개를 따로 움직여.

먹이와 입

장수풍뎅이 입은 빗처럼 생겼구나!

머리 한번 빗어 볼까?

먹는 입으로 뭘 하겠다고?

시각

내 눈은 낱눈이 2만 개나 모인 왕방울 눈!

눈이 머리를 다 차지해 버렸네.

저게 머리야? 눈이야?

---

19 먹이를 씹기 좋게 큰 턱과 작은 턱이 있는 곤충은 누구일까?

① 꿀을 먹는 나비

② 나무진을 먹는 사슴벌레

③ 풀을 먹는 메뚜기

20 모기는 동물 피를 빨아 먹어. 모기 입은 어떻게 생겼을까?

① 날카롭고 뾰족해.

② 둥글고 납작해.

③ 크고 구불구불해.

21 장수풍뎅이는 빗처럼 생긴 입으로 나무진을 먹어. 어떻게 먹을까?

① 씹어서

② 빨아서

③ 핥아서

22 사마귀의 큰 눈은 작은 눈이 여러 개 모여서 만들어졌어. 이 큰 눈을 뭐라고 할까?

① 겹눈   ② 낱눈   ③ 쌍눈

23 잠자리는 겹눈이 머리를 다 차지할 만큼 커. 어떤 점이 좋을까?

① 물체를 크게 볼 수 있어.

② 적에게 무섭게 보여.

③ 먹이의 움직임을 잘 봐.

24 잠자리는 커다란 겹눈 말고도 3개의 홑눈이 있는데 어떤 일을 할까?

① 밝음과 어두움을 느껴.

② 생김새를 알아봐.

③ 색을 구분해.

다리

날개

정답 **13.** ① **14.** ② **15.** ②

다 자란 곤충은 다리가 3쌍 있는데, 다리마다 관절이 5개씩 있어요.
다리 모양과 크기는 생활하기에 편하게 곤충에 따라 달라요. 땅강아지는 앞다리가 크고 삽처럼 생겨서 땅을 잘 파고, 사마귀는 앞다리가 낫처럼 생겨서 사냥을 잘 해요. 메뚜기는 뒷다리가 굵고 길어서 뜀뛰기를 잘 하고, 물방개는 뒷다리가 편평하고 털로 덮여 있어서 헤엄을 잘 쳐요.

정답 **16.** ② **17.** ③ **18.** ②

곤충은 대부분 날개가 2쌍 있지만, 좀이나 톡토기는 날개가 없고, 파리나 모기는 1쌍만 있어요. 파리나 모기는 뒷날개가 없는 대신 곤봉 같은 '평균곤'으로 균형을 잡아요.
곤충은 가슴근육으로 날갯짓을 하고, 나는 방법은 곤충마다 달라요. 나비는 앞날개와 뒷날개가 1장인 것처럼 움직여요. 잠자리는 날개 4장을 모두 따로 움직여서 정지 비행, 고속 비행, 방향 전환이 가능해요.

먹이와 입

시각

정답 19.③ 20.① 21.③

곤충의 입은 먹이에 따라 생김새가 달라요.

벼메뚜기, 하늘소, 메뚜기 등의 입은 '씹는 입'이에요. 입에 큰 턱과 작은 턱이 1쌍씩 있어서 풀이나 나무껍질, 곤충을 씹어 먹어요. 모기나 나비 입은 '빠는 입'이에요. 입이 빨대처럼 생겨서 꽃 꿀, 나무진, 동물 피 등을 빨아 먹어요. 장수풍뎅이와 사슴벌레 입은 '핥는 입'이에요. 빗처럼 생긴 입으로 나무진을 핥아 먹어요.

정답 22.① 23.③ 24.①

다 자란 곤충의 머리에는 대부분 겹눈 1쌍과 홑눈 3개가 있어요. 겹눈은 '낱눈'이라는 육각형 모양의 작은 눈이 모여서 이루어진 큰 눈이에요.

겹눈은 생김새와 색, 움직임을 봐요. 잠자리의 큰 겹눈에는 낱눈이 1만~2만 개 이상 모여 있어서 움직이는 먹이를 잘 볼 수 있어요.

홑눈은 겹눈이 하는 일을 돕는데, 밝음과 어두움을 느껴요.

112-113쪽 정답이야.

청각

나 닮아서 아주 예쁘겠지!

알이 깨어나나 봐. 알 깨는 소리가 들려.

잠자리

지금부터 곤충 채집을 시작하겠어요.

찾았다. 잠자리.

큰일이네! 몸이 아직 차가워서 날지 못하는데…

25 사람은 귀로 소리를 들어. 귀가 없는 모기는 어떻게 소리를 들을까?

① 털이 달린 더듬이로
② 6개의 다리로
③ 긴 입으로

26 곤충은 대부분 귀가 없지만, 소리를 내는 곤충은 귀가 있어. 다음 중 누가 귀가 있을까?

① 호랑나비　　② 귀뚜라미
③ 물매암이

27 귀뚜라미의 귀는 앞다리에 있어. 그럼 매미의 귀는 어디에 있을까?

① 눈 밑에　　② 발톱 위에
③ 배 안쪽에

28 잠자리는 땅 위에 사는데 잠자리 애벌레는 다른 곳에 살아. 어디에 살까?

① 물속　　　② 땅속
③ 나무 위

29 잠자리는 더듬이가 짧아도 먹이를 잡는 데 걱정이 없어. 왜 그럴까?

① 커다란 눈이 있으니까
② 날카로운 입이 있으니까
③ 긴 다리가 있으니까

30 잠자리는 몸이 차면 날 수가 없어. 어떻게 따뜻하게 할까?

① 따뜻한 땅속으로 들어가.
② 뜨거운 물에 몸을 담가.
③ 따뜻한 햇볕을 쬐어.

나비

빨대 아닌데? 내 입인데.

그만 좀 빨아 먹어!

도대체 누가 나비한테 빨대를 준 거야?

곤충의 피

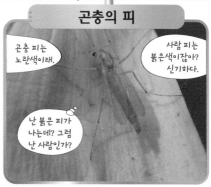

곤충 피는 노란색이래.

사람 피는 붉은색이잖아? 신기하다.

난 붉은 피가 나는데? 그럼 난 사람인가?

31 나비의 입은 길고 가늘어서 꿀을 먹기 좋아. 입을 안 쓸 때는 어떻게 할까?

① 날개 밑에 꼭꼭 숨겨.
② 머리 뒤로 휙 넘겨.
③ 머리 밑에 돌돌 말아.

32 나비의 날개는 비가 와도 젖지 않아. 왜 그럴까?

① 기름이 흘러 나와서
② 비닐이 씌워져 있어서
③ 비늘가루로 덮여 있어서

33 나비와 나방은 비슷하지만 더듬이 모양이 달라. 어떻게 다를까?

① 나비는 곤봉, 나방은 깃털 모양
② 나비는 깃털, 나방은 곤봉 모양
③ 나비는 곤봉, 나방은 물결 모양

34 사람은 다치면 피가 나. 곤충도 피가 날까?

① 그럼, 곤충도 피가 나.
② 아니, 곤충은 피가 안 나.

35 사람 피는 빨간색이지만 곤충 피는 빨간색이 아니야. 보통 무슨 색일까?

① 모두 보라색
② 곤충의 몸과 같은 색
③ 색이 없거나 노란색

36 사람처럼 피가 빨간 곤충도 있어. 다음 중 누구일까?

① 개미 애벌레
② 나비 애벌레
③ 깔따구 애벌레

정답과 해설은 뒤쪽에 있어.

집중탐구 퀴즈 정답 & 해설

청각

매미군! 잘 들리는겨?

응! 이번 전화기는 잘 터지는걸!

소리를 배로 들어?

잠자리

아가야! 저기 올챙이 간다! 냉큼 물어!

거기 서라!!

슈악

쳇

미쳐...

정답 25.① 26.② 27.③

곤충은 대부분 더듬이나 몸 곁에 있는 털로 공기의 떨림을 느껴서 소리를 들어요.

그런데 매미나 귀뚜라미처럼 울음소리를 내는 곤충은 귀로 소리를 들어요.

사람은 머리에 귀가 있지만, 곤충은 다른 곳에 있어요. 귀뚜라미나 북방여치는 앞다리에, 풀무치는 뒷다리에, 매미와 메뚜기는 배에 귀가 있어요.

정답 28.① 29.① 30.③

잠자리 애벌레는 물속에 살며 모기 애벌레 같은 물속 동물을 잡아먹어요. 어른 잠자리는 물 밖에서 살면서 살아 있는 벌레를 잡아먹고요.

잠자리는 전후좌우를 동시에 볼 수 있는 큰 눈이 있어요. 먹이를 냄새로 찾을 필요가 없어 더듬이가 짧아요. 더듬이가 짧아서 날기에도 편해요.

잠자리는 몸이 차면 날개를 움직이지 못해요. 그래서 차가워지면 햇볕을 쬐어요.

나비

곤충의 피

정답 31. ③ 32. ③ 33. ①

나비는 빨대같이 생긴 기다란 입으로 꿀이나 과일즙을 빨아 먹어요. 입을 쓰지 않을 때는 머리 밑에 돌돌 말아 놓아요. 나비의 날개는 색이 있는 비늘가루로 덮여 있어서 비가 와도 젖지 않아요.

나비와 나방은 서로 비슷하게 생겼어요. 하지만 더듬이 모양은 달라요. 보통 나비의 더듬이는 가늘고 끝이 둥근 곤봉 모양이지만, 나방의 더듬이는 굵고 끝 부분이 가늘어지거나 빗살, 깃털 모양이에요.

정답 34. ① 35. ③ 36. ③

곤충의 몸속에도 피가 있어서 사람의 피처럼 온몸을 돌며 영양분을 전하고, 몸속 찌꺼기를 몸 밖으로 실어 날라요.

하지만 곤충 피는 색깔이 없거나 노란색이에요. 사람의 피에는 헤모글로빈이라는 빨간색 색소가 있지만, 곤충 피에는 헤모시아닌이라는 투명한 연녹색 색소가 있기 때문이에요. 그런데 깔따구 애벌레의 피는 헤모글로빈이 있어서 빨간색이에요.

집중탐구 퀴즈

문제를 잘 읽고 맞는 것을 골라봐. 쉽지 않을걸!

호흡

콩콩! 배에서 냄새가 나는데?

겨울나기

으암! 겨울잠 잘 잤다.

야! 일어나. 봄이 왔다고!

---

37 우리는 코로 숨을 쉬어. 그럼 코가 없는 메뚜기는 어디로 숨을 쉴까?

① 더듬이에 있는 숨털로
② 배에 있는 숨구멍으로
③ 다리에 있는 숨발톱으로

38 이 곤충은 꽁무니에 공기방울을 달고 다니며 숨을 쉬어. 다음 중 누구일까?

① 하늘을 나는 하늘소
② 물속에 사는 물방개
③ 땅속에 사는 땅강아지

39 물속에 사는 게아재비는 긴 숨관으로 숨을 쉬어. 숨관을 어떻게 이용할까?

① 물풀에 꽂아.
② 모래에 박아.
③ 물 위로 내밀어.

40 사람의 체온은 항상 일정해. 곤충의 체온도 사람처럼 일정할까?

① 그럼, 사람처럼 일정해.
② 아니, 날씨에 따라 변해.

41 무당벌레는 겨울잠을 자는 곤충이야. 어떻게 잘까?

① 한 마리씩 집을 만들어서
② 두 마리씩 구멍을 파서
③ 여러 마리가 한곳에 모여서

42 장수풍뎅이는 애벌레 모습으로 겨울을 나. 배추흰나비는 어떤 모습으로 겨울을 날까?

① 알의 모습   ② 번데기 모습
③ 배추흰나비 모습

곤충의 기록

정말 몸 길다.

난 우리 형에 비하면 아무것도 아냐.

인도네시아에 사는 우리 형은 30센티미터나 되거든.

곤충의 이름

난 사슴 같은 눈망울 때문인 줄 알았는데.

사슴벌레 턱이 사슴 뿔이랑 꼭 닮았지?

그래서 이름이 사슴벌레구나?

43 가장 오래 사는 곤충은 누구일까?

① 매미
② 반세기비단벌레
③ 여왕개미

44 가장 시끄러운 곤충은 누구일까?

① 맴맴 매미
② 리잉리잉 방울벌레
③ 귀뚤귀뚤 귀뚜라미

45 세계에서 가장 긴 곤충의 길이는 30 센티미터가 넘어. 누구일까?

① 대벌레 ② 사마귀 ③ 메뚜기

46 누에는 누에나방의 애벌레야. 누에는 무슨 뜻일까?

① 누워 있는 벌레
② 누런색이 도는 벌레
③ 누룽지를 먹는 벌레

47 사슴벌레 중 사슴의 뿔을 닮은 곳은 어디일까?

① 더듬이   ② 턱   ③ 발톱

48 반딧불이는 개똥벌레라고도 불러. 왜 그렇게 부를까?

① 개똥처럼 흔하다고
② 개똥을 먹고 산다고
③ 개똥으로 집을 짓는다고

정답과 해설은 뒤쪽에 있어.

호흡

겨울나기

정답 **37.② 38.② 39.③**

곤충은 가슴과 배 옆쪽에 나 있는 숨구멍으로 숨을 쉬어요. 숨구멍을 통해 몸속으로 들어온 공기는 공기 주머니에 모여요. 그리고 가는 숨관을 통해 온몸으로 보내요.

물속 곤충은 여러 가지 방법으로 숨을 쉬어요. 물방개는 꽁무니에 공기 방울을 달고 헤엄치며 숨을 쉬고, 게아재비는 꽁무니에 달린 긴 숨관을 물 위로 내밀고 숨을 쉬어요.

정답 **40.② 41.③ 42.②**

사람의 체온은 일정하지만, 곤충은 날씨에 따라 체온이 변해요. 대부분 곤충은 겨울이 되면 움직이기 어렵고, 먹이 구하기가 어려워서 겨울잠을 자요. 무당벌레는 나뭇잎이나 햇볕이 잘 드는 돌 밑에 여러 마리가 함께 모여서 겨울잠을 자요.

그런데 특이한 모습으로 겨울을 나는 곤충도 있어요. 귀뚜라미처럼 알로, 장수풍뎅이처럼 애벌레로, 배추흰나비처럼 번데기로 나기도 해요.

곤충의 기록

정답 43. ② 44. ① 45. ①

가장 오래 사는 곤충은 애벌레에서 어른벌레가 되는 데 51년이나 걸리는 반세기비단벌레예요.

가장 시끄러운 곤충은 울음소리가 1킬로미터까지 가는 수컷 매미예요.

가장 긴 곤충은 머리에서 꼬리까지 길이가 30센티미터가 넘는 인도네시아의 대벌레예요.

가장 높이 뛰는 곤충은 자기 몸의 130배를 뛰어오를 수 있는 벼룩이에요.

곤충의 이름

정답 46. ① 47. ② 48. ①

곤충의 이름으로 특징을 알 수 있는 곤충도 있어요.

누에 누워 있는 벌레라는 뜻이에요.

사슴벌레 큰 턱이 사슴의 뿔을 닮아서 붙은 이름이에요.

반딧불이 옛날에는 개똥처럼 흔하다고 해서 개똥벌레라고 불렀어요.

메뚜기 옛날에는 산을 '메'라고 했어요. 메뚜기는 산에서 잘 뛰어다닌다고 붙은 이름이에요.

120-121쪽 정답이야.

속담 퀴즈 ▷ 열쇠를 찾아봐. 속담이 보일 거야.

■■■도 밟으면 꿈틀한다.

➡ 아무리 순하고 미천한 사람도 업신여기면 반항한다.

뛰어야 ■■

➡ 도망을 쳐 봤자 멀리 못 간다.

■■■도 구르는 재주가 있다.

➡ 아무리 미련하고 못난 사람도 쓸모 하나는 있다.

■ 없는 나비

➡ 아무 보람 없이 쓸쓸하게 된 처지

■■■도 유월이 한 철

➡ 모든 것이 전성기는 짧다.

굼벵이

벼룩

꽃

지렁이

메뚜기

정답 l기쪽

다음 중 이 책에 나오는 찡은 어느 것일까?

①

②

③

④

⑤

⑥

과연~
만만치 않을걸?

79쪽 정답

또똑 퀴즈~ 정말 재미있다. 어디 어디 숨었을까?

stage 3

집중탐구 퀴즈

문제를 잘 읽고 맞는 것을 골라봐. 쉽지 않을걸!

짝짓기

오늘은 꼭 장가 가고 말 거야.

이제야 서방님을 만났군.

알과 새끼

누가 여기다 똥 누고 도망간 거야?

우리 똥 아닌데? 우렁이 알인데.

---

49 반딧불이 수컷은 짝짓기를 할 때 어떻게 암컷을 부를까?

① 냄새를 풍겨서
② 빛을 내서
③ 소리를 질러서

50 여왕개미가 짝짓기를 할 때 수많은 수개미가 뒤따라 날아. 어떤 수개미와 짝짓기를 할까?

① 가장 높이 따라온 수개미
② 가장 큰 수개미

51 암컷 사마귀는 짝짓기 후에 수컷 사마귀를 잡아먹어. 왜 그럴까?

① 알에게 영양분을 주려고
② 다른 암컷과 짝짓기 못 하게
③ 수컷이 공격해서

52 쇠똥구리는 쇠똥을 먹고 살아. 그럼 알은 어디에 낳을까?

① 딱딱한 나무줄기에
② 모양이 예쁜 나뭇잎에
③ 애벌레가 먹을 쇠똥에

53 모시나비 알은 찐빵 모양이야. 호랑나비 알은 어떤 모양일까?

① 기다란 오이 모양
② 동그란 구슬 모양
③ 끝이 뾰족한 달걀 모양

54 다음 중 집을 지어서 여럿이 함께 알과 새끼를 돌보는 곤충은 누구일까?

① 나비
② 흰개미
③ 잠자리

한살이

허물 벗으니까 더 예쁜데?

예쁘면 뭐 해! 이제 겨우 5번째 허물 벗었는데….

탈바꿈

저 볼품없는 번데기가 저렇게 예쁜 나비가 되다니.

무시하긴! 완전변태거든?

완전 변신인데?

55 곤충은 모두 알에서 깨어나. 알에서 깨어 나온 새끼 곤충을 뭐라고 할까?

① 애벌레
② 아기벌레
③ 어린이벌레

56 애벌레는 몸이 자랄 때마다 껍데기를 벗어. 왜 그럴까?

① 껍데기가 늘어나지 않아서
② 햇볕을 쬐지 못해서
③ 먹이를 먹지 못해서

57 알에서 깨어 나온 초파리 애벌레는 이 것을 거쳐야 어른벌레가 돼. 이것은 무엇일까?

① 노래기   ② 번데기
③ 갈때기

58 모기는 알 → 애벌레 → 번데기 → 어른벌레 순으로 자라. 모기처럼 자라는 곤충은 누구일까?

① 나비   ② 매미   ③ 잠자리

59 잠자리 애벌레는 번데기가 되지 않고 어른벌레가 돼. 잠자리처럼 자라는 곤충은 누구일까?

① 벌   ② 파리   ③ 메뚜기

60 호랑나비 애벌레는 날개가 없어. 그럼 날개는 언제 생길까?

① 애벌레가 다 자랐을 때
② 번데기일 때
③ 어른벌레가 되고 나서

정답과 해설은 뒤쪽에 있어.

집중탐구 퀴즈 정답 & 해설

짝짓기

알과 새끼

정답 49.② 50.① 51.①

곤충은 자손을 퍼뜨리기 위해서 대부분 암컷과 수컷이 만나 짝짓기를 해요.

반딧불이는 수컷이 꽁무니에서 불을 깜박여 암컷을 불러요. 여왕개미는 수개미와 '결혼 비행'을 해서 가장 높이까지 따라 날아온 수개미와 짝짓기를 해요. 사마귀 암컷은 짝짓기 후 수컷을 잡아먹기도 해요. 이것은 알을 만들고, 알에게 줄 영양분을 얻기 위해서예요.

정답 52.③ 53.② 54.②

곤충의 암컷은 애벌레가 먹이를 구하기 쉬운 곳에 알을 낳아요. 애벌레가 쇠똥을 먹고 자랄 수 있게 쇠똥구리가 쇠똥에 알을 낳는 것처럼요.

알의 모양은 곤충마다 달라요. 호랑나비의 알은 구슬같이 동그랗고, 여치의 알은 달걀같이 타원형이에요.

대부분의 곤충은 알을 돌보지 않지만, 꿀벌과 흰개미는 집을 지어 알을 낳고, 많은 새끼를 함께 돌봐요.

한살이

탈바꿈

정답 55. ① 56. ① 57. ②

곤충은 알에서 시작해서 애벌레와 번데기를 거쳐 어른벌레가 돼요. 알에서 깬 애벌레는 몸이 자랄 때마다 딱딱해서 늘어나지 않는 껍데기를 벗어요. 이것을 '허물 벗기' 또는 '탈피' 라고 해요.

애벌레는 3~16번에 걸쳐 허물을 벗는데, 허물 벗기가 모두 끝나면 번데기가 돼요. 번데기로 얼마를 지내고 깨어 나면 어른벌레가 돼요. 번데기 때는 아무것도 먹지 않고 움직이지도 않아요.

정답 58. ① 59. ③ 60. ②

곤충이 알 → 애벌레 → 번데기 → 어른벌레로 모습을 바꾸는 것을 '탈바꿈' 또는 '변태' 라고 해요.

네 단계를 모두 거치면 '완전탈바꿈' 또는 '완전변태' 라고 하는데, 나비, 벌, 모기 등이 완전변태를 해요. 호랑나비는 번데기 때 날개가 생겨요. 번데기를 거치지 않고 자라면, '불완전탈바꿈' 또는 '불완전변태' 라고 해요. 잠자리, 메뚜기 등이 불완전변태를 해요.

집중탐구 퀴즈

문제를 잘 읽고 맞는 것을 골라봐. 쉽지 않을걸!

집짓기

재들은 거품 놀이 진짜 좋아해.

오죽하면 이름이 거품벌레 겠니?

놀이 아닌데? 집 만드는 건데?

먹이와 사냥법

죽은 척하면 누가 모를 줄 알고?

---

61 호리병벌은 항아리처럼 생긴 집을 지어. 무엇으로 지을까?

① 푸릇푸릇한 풀잎
② 질퍽질퍽한 진흙
③ 동글동글한 자갈

62 다음 중 나뭇잎을 말아 집을 짓고, 그 속에 알을 낳는 곤충은 누구일까?

① 거위벌레　　② 집게벌레
③ 송장벌레

63 거품벌레의 애벌레는 천적을 피하기 위해 집을 지어. 어떤 집을 지을까?

① 푹신푹신 솜집
② 뚝딱뚝딱 나무집
③ 부글부글 거품집

64 모기는 피를 먹고, 사슴벌레는 나무진을 먹어. 사마귀는 무엇을 먹을까?

① 살아 있는 벌레
② 죽은 벌레
③ 산 벌레와 죽은 벌레 모두

65 개미는 뭐든지 잘 먹지만, 누에는 딱 한 가지만 먹고 살아. 무엇을 먹을까?

① 배춧잎　　② 솔잎
③ 뽕잎

66 쌀, 보리 같은 곡식을 먹어서 사람에게 피해를 주는 곤충이 있어. 다음 중 누구일까?

① 나비　　② 하늘소
③ 바구미

130

방어

하하! 날 발견하기 힘들거다!

개미

먹이 구하기, 집안 청소, 애벌레 돌보기 등, 할 일이 너무 많아.

그래도 짝짓기 후에 죽는 것보단 낫잖아.

수개미는 짝짓기밖에 안 한대.

67 폭탄먼지벌레 앞에 적이 나타났어. 어떻게 할까?

① 입으로 커다란 소리를 내.
② 꽁무니에서 뜨거운 독가스를 뿜어.

68 대벌레는 새 같은 적의 눈에 잘 띄지 않아. 왜 그럴까?

① 이리저리 잘 숨어 다녀서
② 몸이 나뭇가지처럼 생겨서
③ 거품으로 몸을 싸고 있어서

69 우단박각시 애벌레는 머리가 이 동물을 닮아서 적이 도망가. 어떤 동물일까?

① 호랑이   ② 사자
③ 뱀

70 개미는 땅속에 집을 짓고 함께 모여 살아. 개미집은 어떻게 생겼을까?

① 커다란 방이 하나 있어.
② 수많은 방이 굴로 이어져 있어.
③ 수많은 방이 촘촘히 붙어 있어.

71 먹이 구하기, 알과 애벌레 돌보기, 적과 싸워 집 지키기 등의 일을 하는 개미는 누구일까?

① 여왕개미   ② 수개미
③ 일개미

72 수개미는 여왕개미와 짝짓기를 하는데 다른 일도 할까?

① 그럼, 적과 싸워.
② 아니, 짝짓기만 해.

🐾 *정답과 해설은 뒤쪽에 있어.*

집짓기

먹이와 사냥법

정답 61.② 62.① 63.③

곤충은 몸을 숨기거나 먹이를 잡거나 애벌레를 키우기에 적합한 모양의 집을 지어요.

호리병벌은 진흙으로 집을 지어서 알을 낳아요. 그리고 애벌레가 먹을 먹이를 잡아다 넣어 주어요. 거위벌레는 애벌레가 나뭇잎을 먹고 자라도록 나뭇잎을 말아 집을 짓고, 알을 낳아요. 거품벌레 애벌레는 적이 발견하기 어렵고, 발견해도 더러워서 피하도록 거품집을 지어요.

정답 64.① 65.③ 66.③

동물을 먹는 곤충에는 살아 있는 벌레를 먹는 사마귀, 동물의 피를 먹는 모기 등이 있어요.

식물을 먹는 곤충에는 나뭇잎을 먹는 메뚜기, 꽃 꿀을 먹는 벌과 나비, 나무진을 먹는 사슴벌레, 뽕잎만 먹는 누에, 곡식을 먹는 바구미 등이 있어요.

곤충 중에는 개미처럼 벌레, 식물, 곤충의 분비액 등 무엇이든 가리지 않고 먹는 곤충도 있어요.

방어

개미

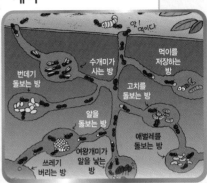

정답 67.② 68.② 69.③

곤충은 몸이 작지만 여러 가지 방법으로 몸을 지켜요.

폭탄먼지벌레는 꽁무니에서 냄새가 고약하고 뜨거운 독가스를 내 뿜어요. 대벌레나 자벌레는 몸이 나뭇가지처럼 생겨서 적들이 잘 알아보지 못해요. 우단박각시 애벌레의 머리는 적이 싫어하는 뱀처럼 생겼어요. 또 방아깨비나 여치는 풀잎과 색이 같아서 풀밭에 있으면 적들이 잘 알아보지 못해요.

정답 70.② 71.③ 72.②

땅속에 있는 개미집에는 방이 아주 많아요. 각 방들은 굴로 이어져 있고, 여왕개미, 수많은 일개미, 알과 애벌레가 함께 살아요.

여왕개미는 주로 알을 낳는 일을 해요. 수개미는 별로 하는 일 없이 지내다가 여왕개미와 짝짓기를 마치고 나면 죽어요. 가장 수가 많은 일개미는 집짓기, 먹이 구하기, 집안 청소, 적과 싸우는 일 등의 일을 나눠서 해요.

130-131쪽 정답이야.

의사소통

응, 멀리 있으면 8자를 그리는 거고.

가까우면 동그라미 맞지?

여기 꿀 많은데? 애들한테 알려 줘.

꿀벌

나도 알 낳고 싶어.

내가 더 많이 낳을 수 있는데.

여왕벌만 알을 낳는 건 불공평해.

73 꿀벌은 맛있는 꽃 꿀이 있는 곳을 친구들에게 알려 줘. 어떻게 알려 줄까?

① 엉덩이 춤을 춰서
② 휘파람을 불어서
③ 지독한 냄새를 풍겨서

74 개미는 다른 개미를 만나면 친구인지 아닌지 확인해. 어떻게 할까?

① 턱을 부딪쳐서
② 앞다리를 서로 비벼서
③ 더듬이를 서로 비벼서

75 매미는 수컷만 울어. 언제 울까? (답은 2개)

① 자신의 영역을 주장할 때
② 적을 쫓을 때
③ 암컷을 부를 때

76 꿀벌은 여왕벌, 수벌, 일벌이 함께 모여 살아. 한 마리뿐인 여왕벌은 주로 어떤 일을 할까?

① 집을 지어.　② 알을 낳아.
③ 먹이를 구해.

77 꿀을 모아 오는 일벌은 암컷일까, 수컷일까?

① 알을 못 낳는 암컷
② 짝짓기를 해야 하는 수컷

78 꿀벌은 위험하면 침을 쏘는데, 그 후에 어떻게 될까?

① 내장이 빠지면서 죽어.
② 힘이 없어서 날 수 없어.
③ 빙글빙글 계속 맴돌아.

거미

같은 곤충끼리 한 번만 봐 주세요.

내 다리 안 보여? 8개잖아. 나 곤충 아니야.

지렁이

역시 흙이 가장 맛있어.

79 거미는 곤충보다 다리가 많은 벌레야. 거미의 다리는 몇 개일까?

① 4개　　② 8개　　③ 10개

80 거미는 대부분 거미줄을 치는데, 이유는 무엇일까? (답은 2개)

① 먹이를 잡으려고
② 독침을 만들려고
③ 새끼 거미를 키우려고

81 나비가 거미줄에 걸렸어. 거미는 나비를 어떻게 먹을까?

① 독액으로 몸속을 녹여서 빨아 먹어.
② 끈적한 혀로 핥아 먹어.

82 지렁이는 땅속에 살아. 무엇을 먹고 살까?

① 물　　　　　② 흙
③ 햇빛

83 다 자란 지렁이의 머리 쪽에는 굵은 띠가 있어. 무슨 일을 할까?

① 냄새를 맡아.
② 소리를 들어.
③ 자손을 퍼뜨려.

84 곤충은 배에 있는 숨구멍으로 숨을 쉬어. 지렁이는 어디로 숨을 쉴까?

① 털　　　　　② 코
③ 피부

정답과 해설은 뒤쪽에 있어.

의사소통

꿀벌

정답 **73.** ① **74.** ③ **75.** ①, ③

곤충은 말 대신 여러 가지 방법으로 의사소통을 해요.

꿀벌은 꽃 꿀을 발견하면 집으로 돌아와 엉덩이춤을 춰서 꽃 꿀이 있는 곳을 알려요. 꽃 꿀이 가까이 있으면 동그라미, 멀면 8자를 그리며 춤을 춰요. 개미는 다른 개미를 만나면 더듬이를 비벼서 같은 집에 사는 친구인가 아닌가를 확인해요. 매미는 수컷만 우는데, 주로 자신의 영역을 주장하거나 짝짓기를 할 암컷을 부를 때 울어요.

정답 **76.** ② **77.** ① **78.** ①

꿀벌은 한 마리의 여왕벌과 약간의 수벌, 수많은 일벌이 모여 살아요. 여왕벌은 주로 알을 낳고, 수벌은 여왕벌과 짝짓기가 끝나면 얼마 안 가 모두 죽어요. 일벌은 알을 낳을 수 없는 암컷인데, 집짓기, 청소하기, 먹이 구하기, 알 돌보기 같은 일을 해요.

꿀벌은 위험을 느낄 때 침을 쏴요. 침은 낚싯바늘처럼 생겨서 침을 쏘면 내장이 빠져나와 죽게 돼요.

거미

지렁이

정답 **79.** ② **80.** ①, ③ **81.** ①

거미는 몸이 머리가슴과 배로 나뉘고, 다리가 8개인 거미류 동물이에요.

거미는 대부분 거미줄을 쳐서 옮겨 다니거나 집을 지어요. 또 알을 보호하고, 새끼 거미를 키울 때도 거미줄을 써요. 하지만 거미줄은 무엇보다 먹이를 잡을 때 중요해요.

거미는 먹이가 거미줄에 걸리면 이빨로 찔러 독액을 쏴요. 독액이 먹이의 몸을 녹이면 껍질만 남기고 빨아 먹어요.

정답 **82.** ② **83.** ③ **84.** ③

지렁이는 땅속에 구멍을 뚫고 다니면서 흙을 먹고 살아요. 흙속에 들어 있는 양분은 빨아 먹고, 남은 찌꺼기 흙은 똥으로 내보내요.

다 자란 지렁이는 머리 쪽에 굵은 띠처럼 생긴 '환대'가 있어요. 암컷과 수컷이 한몸인 지렁이는 환대로 자손을 퍼뜨려요.

지렁이는 피부로 숨을 쉬는데, 비가 오면 숨쉬기가 힘들어 땅 위로 나와요.

134~135쪽 정답이야.

집중탐구 퀴즈

문제를 잘 읽고 맞는 것을 골라봐. 쉽지 않을걸!

달팽이

집 잃어 버렸어? 더우면 우리 집에 와.

괜찮아. 내 피부는 끈끈하거든.

지네

모르겠어. 너무 많아서 셀 수가 없어.

너는 도대체 다리가 몇 개야?

85 달팽이 눈은 앞더듬이와 뒷더듬이 중 어디에 달려 있을까?

① 짧은 앞더듬이 끝에
② 긴 뒷더듬이 끝에
③ 긴 뒷더듬이 중간에

86 달팽이는 몸에 물기가 마르면 죽어. 날이 더우면 어떻게 할까?

① 껍데기를 벗어.
② 껍데기 안으로 숨어.
③ 껍데기에 물을 채워.

87 껍데기가 없는 달팽이도 있어. 이 달 팽이를 뭐라고 할까?

① 뱀달팽이
② 물달팽이
③ 민달팽이

88 곤충은 가슴 부분에 6개의 다리가 있 어. 그럼 몸이 15마디 이상으로 나뉜 지네는 다리가 어떻게 달려 있을까?

① 끝 마디에 모여 있어.
② 마디마다 한 쌍씩 있어.

89 지네는 다리가 많아. 우리 나라에서 가장 큰 왕지네는 다리가 몇 개일까?

① 7개   ② 42개
③ 1,000개

90 지네는 작은 벌레를 먹고 살아. 벌레 를 어떻게 잡아먹을까?

① 독이빨로 물어서
② 독침을 쏘아서
③ 독물을 내뿜어서

익충

비켜 봐. 저기 뽕잎이 더 맛있어 보여.

고운 비단을 만드는 몸이니 우아 하게 먹어야지.

해충

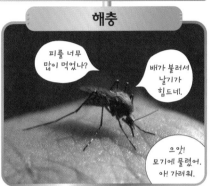

피를 너무 많이 먹었나?

배가 불러서 날기가 힘드네.

으앗! 모기에 물렸어. 아! 가려워.

91 무당벌레는 '살아 있는 농약'이라고 불려. 왜 그럴까?

① 몸에 농약이 들어 있어서
② 농사 작물을 해치는 진딧물을 잡아먹어서

92 사람들은 벌집에서 달콤한 꿀을 얻어. 또 무엇을 얻을까?

① 제사 때 쓰는 향
② 초를 만들 때 쓰는 밀랍
③ 맛있게 먹는 초콜릿

93 비단은 이 곤충의 몸에서 얻은 명주실 로 만들어. 이 곤충은 누굴까?

① 누에   ② 송충이
③ 바구미

94 파리나 바퀴가 앉았던 음식은 먹으면 안 돼. 왜 그럴까?

① 좋지 않은 냄새가 나니까
② 소화가 되지 않으니까
③ 병균이 묻어 있으니까

95 사람 피를 빨면서 일본 뇌염같이 무서 운 병을 옮기는 곤충은 누구일까?

① 모기   ② 벼룩
③ 이

96 곡식에 붙어 즙을 빨아 먹는 벼멸구가 많으면 벼는 어떻게 될까?

① 열매가 안 열려.
② 잎이 뻣뻣해져.
③ 자라지 못하고 말라 죽어.

정답과 해설은 뒤쪽에 있어.

집중탐구 퀴즈 정답 & 해설

달팽이

지네

정답 85. ② 86. ② 87. ③

달팽이는 뼈가 없고 몸이 물렁물렁
해서 단단한 껍데기로 몸을 보호해
요. 껍데기가 없는 민달팽이는 아주
끈끈한 피부로 몸을 보호하지요.
머리에 더듬이가 2쌍 있는데, 짧은
앞더듬으로 냄새를 맡거나 맛을 봐
요. 긴 뒷더듬이 끝에는 눈이 달려
있어요.
달팽이는 몸에 물기가 마르면 죽어
요. 그래서 더울 땐 껍데기 속으로
들어가 하얀 막으로 입구를 막아요.

정답 88. ② 89. ② 90. ①

지네는 몸의 마디가 15개가 넘는데,
마디마다 다리가 1쌍씩 달려 있어
요. 지네는 종류에 따라 다리 개수
가 다른데, 우리 나라에서 가장 큰
왕지네의 다리는 42개예요.
지네는 작은 벌레를 독이빨로 물어
서 잡아먹어요.
땅지네는 캄캄한 땅속에서 살아서
볼 필요가 없고 그래서 눈도 없어
요. 대신 잘 발달된 더듬이로 먹이
를 찾아내요.

익충

나랑 실뜨기 한판 어때?

와! 몸에서 실을 뽑다니, 대단해!

휘리릭

나도 할 수 있어!

해충

야! 너희들 손 안 씻어?

손을 왜 씻어. 우린 깨끗해!

정답 **91.② 92.② 93.①**

곤충 중에는 우리에게 해를 끼치는 곤충도 있지만, 이로움을 주는 곤충도 있어요.

무당벌레는 곡식의 즙을 빨아 먹는 진딧물을 잡아먹어서 '살아 있는 농약'이라고 불려요.

벌집에서는 달콤한 꿀과 초를 만드는 밀랍을 얻어요. 또 벌은 꽃가루를 옮겨서 씨앗이 만들어지게 해요.

누에고치에서 얻은 명주실로는 비단을 짤 수 있어요.

정답 **94.③ 95.① 96.③**

곤충 중에는 사람에게 해를 끼치는 곤충도 있어요.

파리나 바퀴는 여기저기를 돌아다니다가 사람이 먹는 음식에 앉아 병균을 옮겨요.

모기가 물면 따끔하고 가려워요. 모기는 동물 피를 빨고 병을 옮기기도 하는데, 작은빨간집모기는 뇌염을 옮겨요.

벼멸구는 곡식에 붙어 즙을 빨아 먹는데, 벼멸구가 많으면 곡식이 말라 죽어요.

138-139쪽 정답이야.

stage
4

교과서 도전 퀴즈

학교 시험에는 어떻게 나올까? 도전해봐!

정답 144쪽

---

1 여름의 동물 1학년

| 매미 | 사마귀 | 달팽이 | 벌 |

1. 매미는 나무에 붙어서 사는 벌레다. (○ , ×)

2. 사마귀와 달팽이는 풀밭에서 볼 수 있다. (○ , ×)

3. 매미와 벌만 날개가 있다. (○ , ×)

4. 매미와 벌, 사마귀는 다리가 6개이다. (○ , ×)

---

2 가을의 동물 2학년

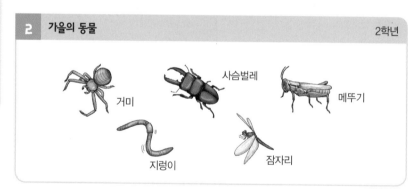

거미 사슴벌레 메뚜기 지렁이 잠자리

1. 거미와 사슴벌레는 나무에 사는 동물이다. (○ , ×)

2. 메뚜기와 지렁이는 땅속에 사는 동물이다. (○ , ×)

3. 잠자리는 6개의 다리를 가지고 있다. (○ , ×)

144쪽 정답 **5** (가) 알 (나) 애벌레 (다) 번데기 (라) 성충

기대하시라!

3 벌레의 겨울나기   3학년

다음은 벌레의 겨울나기를 설명한 것입니다.

• 알로 나는 것, 애벌레로 나는 것, 번데기로 나는 것, 어른 벌레로 나는 것 등이 있습니다.

다음 벌레의 겨울나는 방법을 알, 애벌레, 번데기, 어른 벌레로 쓰시오.

1.

(   )

2.

(   )

3.

(   )

4.

(   )

4 곤충의 특징   3학년

초파리의 몸은 위와 같이 크게 세 부분으로 나눌 수 있습니다. 각 부분에 맞는 이름을 쓰시오.

㉠ (   )   ㉡ (   )   ㉢ (   )

5	곤충의 한살이	3학년

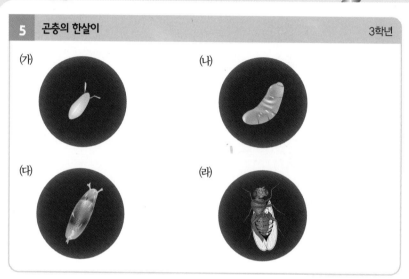

(가) (나) (다) (라)

위의 초파리의 한살이 그림을 보고, 각 단계의 이름을 쓰시오.

(가) (   )　　　　(나) (   )

(다) (   )　　　　(라) (   )

기대하시라!

구분	애벌레	번데기
색깔	연한 노란색을 띠고, 투명함.	색깔이 점점 짙어짐.
먹이	과일 껍질 등의 먹이를 먹음.	먹지 않음.
위치	병의 아래쪽 먹이가 있는 곳	병의 위쪽 물기가 없는 곳
움직임	움직임.	움직이지 않음.

1. 초파리의 애벌레는 허물을 벗을 때마다 크기가 커진다. (○ , ×)
2. 초파리의 애벌레가 번데기가 되면 병의 아래쪽으로 움직인다. (○ , ×)
3. 번데기가 되면 움직이지 않는다. (○ , ×)

잠자리　　　　　　　　거미

1. 모두 초식 동물이다. (○ , ×)
2. 모두 풀밭이나 나무에서 볼 수 있다. (○ , ×)
3. 잠자리는 날개가 있고, 거미는 날개가 없다. (○ , ×)
4. 모두 머리, 가슴, 배 3부분으로 나뉜다. (○ , ×)
5. 모두 알을 낳아 번식한다. (○ , ×)

4 Round

새

stage 2

집중탐구 퀴즈

새란? · 새의 특징 1
새의 특징 2 · 부리
울음 · 다리
발 · 깃털
꽁지 · 날개
비행 · 먹이
소화와 배설 · 새의 시각
새의 청각과 미각 · 인간과 새

● **속담 퀴즈**
● **또또 퀴즈**

stage 1

● ○× 퀴즈
● 있다없다 퀴즈
● 네모 퀴즈
● 사다리 퀴즈
● 왜?왜? 퀴즈

stage 3

집중탐구 퀴즈

stage 4

교과서 도전 퀴즈

stage 1

OX 퀴즈

맞으면 ○, 틀리면 ×에 ○표 하는 거야. 이제 시작이라구!

정답 150쪽

1 새는 온몸이 깃털로 덮여있다.

2 새의 뼛속은 텅 비어 있다.

3 물에서 생활하는 새들은 물갈퀴가 있다.

4 새의 몸은 정방형이다.

5 독수리는 주로 곡식을 먹는다.

6 새는 맛을 혀로 느낀다.

7 두루미는 춤을 추며 짝짓기를 한다.

8 모든 새는 날 수 있다.

각 쪽을 잘 보고, 답을 맞춰봐. 누가 더 많이 맞췄을까……

148

있다없다 퀴즈

있을까? 없을까? 알쏭달쏭~~ 비밀의 문을 열어봐!

정답 151쪽

새

1 새는 색깔을 구별할 수 ~

있다 없다

2 새들은 태어나자마자 하늘을 날 수 ~

있다 없다

3 병아리는 겉모습을 통해 암수 구별을 할 수 ~

있다 없다

4 철새는 같은 장소로 되돌아 올 수 ~

있다 없다

5 알을 품지 않고 새끼를 부화 시킬 수 ~

있다 없다

6 펭귄은 잠수를 할 수 ~

있다 없다

152-153쪽 정답 1① 2② 3① 4② 5① 6① 7② 8①

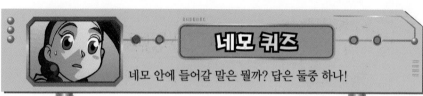

네모 퀴즈

네모 안에 들어갈 말은 뭘까? 답은 둘중 하나!

정답 152쪽

1 새는 깃털이 상하면 ▨▨ 을(를) 한다. ·········· 기름칠 〉 털갈이

2 새의 입에는 ▨▨ 이(가) 있다. ············· 입술 〉 부리

3 부리의 모양은 ▨▨ 에 따라 다르다. ·········· 기후 〉 먹이

4 새의 울음소리는 ▨▨ 에서 나온다. ··········· 울대 〉 부리

5 새의 날개깃 속에는 ▨▨ 이 있다. ············· 근육 〉 솜털

6 독수리의 부리는 ▨▨ 모양이다. ·········· 갈고리 〉 호리병

7 새는 ▨▨ 가 소화를 도와준다. ·········· 모래주머니 〉 자갈주머니

8 청둥오리는 태어나서 처음 본 것을 ············ 은인 〉 어미
▨▨ 인 줄 알고 따라다닌다.

148쪽 정답 **1**○ **2**○ **3**○ **4**× **5**× **6**× **7**○ **8**×

사다리 퀴즈

알쏭달쏭 수수께끼! 사다리를 타면 답이 나와.

정답 153쪽

새

1 앞으로 보나 뒤로 보나 똑같은 새는?

2 노래를 부르는 꼬리는?

3 짖지 못하는 개는?

4 아무리 잘해도 혼만 나는 새는?

5 귀는 귀인데 날아다니는 귀는?

6 남을 태워 주고 싶어 하는 새는?

7 만들고 꾸미기를 잘하는 새는?

8 진짜 새는?

타조

솔개

공작

까마귀

꾀꼬리

벌새

참새

기러기

149쪽 정답 **1** 있다 **2** 없다 **3** 없다 **4** 있다 **5** 있다 **6** 있다

왜?왜? 퀴즈

왜? 왜 그럴까? 숨겨진 이유를 찾아봐.

정답 149쪽

왜 새들은 부리로 깃털을 다듬을까?

① 날기 편하게 정리하려고
② 피부 속이 간지러워서

왜 대부분의 새는 냄새를 잘 맡지 못할까?

① 코가 뇌와 연결되지 않아서
② 보는 것이 중요해서

왜 앵무새나 구관조는 사람의 말을 따라할 수 있을까?

① 혀가 발달해서
② 머리가 좋아서

왜 키위는 냄새를 잘 맡을 수 있을까?

① 냄새를 맡는 세포가 많아서
② 콧구멍이 부리 끝에 있어서

150쪽 정답 **1** 털갈이 **2** 부리 **3** 먹이 **4** 울대 **5** 솜털 **6** 갈고리 **7** 모래주머니 **8** 어미

152

왜 흰올빼미는 온몸은 물론이고 발까지 흰 털로 덮여있을까?

① 추위에 잘 견디기 위해서
② 털갈이를 자주하기 때문에

왜 어미 새는 새끼 새를 씻기지 않고 말려 줄까?

① 체온이 내려가지 않게 하려고
② 둥지가 젖지 않게 하려고

왜 닭이 낳은 알에는 병아리가 될 수 없는 알이 있을까?

① 유전자가 없어서
② 짝짓기를 한 알이 아니라서

왜 오리는 차가운 물에 발을 담가도 동상에 걸리지 않을까?

① 발의 피의 온도가 변해서
② 발에 신경이 없어서

집중탐구 퀴즈

문제를 잘 읽고 맞는 것을 골라봐. 쉽지 않을걸!

새란?

새의 특징 1

1 하늘을 나는 새는 다른 동물에는 없는 이것이 있어. 이것은 뭘까?

① 날개
② 꼬리
③ 다리

2 새는 온몸이 깃털로 덮여 있고 하늘을 나는 동물이야. 박쥐도 새일까?

① 그럼, 박쥐도 새야.
② 아니, 박쥐는 깃털이 없어서 새가 아니야.

3 사람, 개, 고양이는 등뼈가 있어. 새도 등뼈가 있을까?

① 그럼, 새도 등뼈가 있지.
② 아니, 새는 등뼈가 없어.

4 새는 하늘을 날 때 공기의 방해를 적게 받으려고 온몸이 이것으로 덮여 있어. 이것은 뭘까?

① 피부　② 깃털　③ 비늘

5 하늘을 나는 새는 몸이 가벼워. 새의 몸은 어떤 구조로 되어 있을까? (답은 2개)

① 이빨이 없어. ② 근육이 없어.
③ 날개뼈와 다리뼈가 텅 비었어.

6 사람의 입에는 입술이 있어. 그럼 새의 입에는 무엇이 있을까?

① 부리　　　② 입술
③ 비늘

새의 특징 2

악! 괴물이다. 목이 저렇게 많이 돌아갈 수가….

시야를 넓게 보려면 이 정도 목이 돌아가는 건 기본이야.

부리

내 이 좁고 긴 부리를 이용하면 꽃 꿀을 쉽게 먹을 수 있지.

저게 바늘이야, 부리야? 왜 이렇게 뾰족해?

7 어른 새는 이빨이 없는데 새끼 새는 이빨이 있어. 왜 이빨이 있을까?

① 먹이를 잘 씹으려고

② 알을 깨고 나오려고

③ 적이 나타나면 물려고

8 개구리는 체온이 시시때때로 변해. 새의 체온은 어떨까?

① 항상 일정해.

② 종류마다 달라.

③ 시시때때로 변해.

9 새의 목은 자유롭게 구부러져. 어떤 점이 좋을까? (답은 2개)

① 넓게 볼 수 있어.

② 부리를 잘 사용할 수 있어.

③ 새끼를 잘 보호할 수 있어.

10 새의 부리는 이 성분으로 이루어져 있어서 단단해. 어떤 성분일까?

① 칼슘   ② 케라틴   ③ 아연

11 벌새의 부리는 길고, 참새의 부리는 짧아. 왜 생김새가 다를까?

① 수명이 달라서

② 먹이가 달라서

③ 크기가 달라서

12 사람은 입으로 음식을 먹어. 새는 부리로 무엇을 할까? (답은 2개)

① 하늘을 날아.

② 먹이를 먹어.

③ 물건을 집어.

정답과 해설은 뒤쪽에 있어.

집중탐구 퀴즈 정답 & 해설

새란?

새의 특징 1

정답 1.① 2.② 3.①

새는 온몸이 깃털로 덮여 있고 다리가 둘이며, 날개가 있어서 하늘을 날 수 있는 동물이에요. 박쥐는 날기는 하지만 깃털이 없어서 새가 아니에요. 하지만 새 중에는 펭귄, 타조, 에뮤처럼 날개는 있지만 날지 못하는 새들도 있어요.

새는 강아지나 고양이처럼 등에 뼈가 있는 척추동물이기도 해요.

새처럼 하늘을 나는 짐승을 날짐승이라고 하고, 호랑이처럼 기어 다니는 짐승은 길짐승이라고 해요.

정답 4.② 5.①, ③ 6.①

새의 몸은 하늘을 날기에 편리한 구조로 이루어져 있어요. 우선 온몸이 깃털로 덮여 있어요. 깃털은 가볍고, 공기의 흐름을 매끄럽게 하고, 공기를 저장해서 새가 날아다니기에 좋아요. 또 새는 하늘을 날기 위해 몸을 가볍게 해요. 그래서 이빨도 없고, 날개뼈와 다리뼈가 텅 비어 있어요.

새의 입은 딱딱한 부리로 이루어져 있어요. 부리의 생김새는 새의 종류에 따라 달라요.

새의 특징 2

부리

정답 7. ② 8. ① 9. ①, ②

어미 새는 이빨이 없지만 새끼 새는 난치(卵齒)라는 이빨이 있어서 혼자서 알을 깨고 나올 수 있어요. 어른이 되면 먹이를 씹지 않고 삼키기 때문에 난치가 없어져요.

새는 사람처럼 주변 온도에 관계없이 몸의 온도가 일정한데, 이런 동물을 항온동물이라고 해요.

새는 목이 아주 잘 움직여서 넓게 볼 수 있고, 부리를 자유롭게 사용할 수 있어요. 올빼미는 목을 180도까지 돌릴 수 있어요.

정답 10. ② 11. ② 12. ②, ③

새의 입엔 딱딱한 부리가 달려 있어요. 부리는 사람의 손톱과 발톱, 머리카락과 같은 케라틴이라는 성분으로 되어 있어요. 새는 부리로 먹이를 집어 먹을 뿐 아니라 손처럼 물건을 잡기도 해요.

부리의 모양은 먹이에 따라 달라요. 딱따구리는 나무에 구멍을 파서 벌레를 먹기 좋게 부리가 뾰족하고, 독수리는 죽은 고기를 뜯어 먹기 좋게 부리가 튼튼하고 끝이 갈고리처럼 휘어져 있어요.

154-155쪽 정답이야.

집중탐구 퀴즈

문제를 잘 읽고 맞는 것을 골라봐. 쉽지 않을걸!

울음

오~! 나와 결혼해 줄 신부는 어디에 있나요!

벌써 몇 시간째 노래를 하는 건지…. 아무도 안 오는데….

다리

난 발목이야. 그러니까 매끈한 발이라고 해야지.

와! 저 매끈한 다리 좀 봐.

13 수컷 새들은 암컷을 유혹할 때 울음소리를 내. 다음 중 또 어떨 때 울음소리를 낼까?

① 자신의 둥지를 찾을 때
② 자신의 영토를 주장할 때

14 새들은 우는 소리가 달라지기도 해. 왜 그럴까? (답은 2개)

① 먹이가 달라져서
② 계절이 바뀌어서
③ 사는 환경이 달라져서

15 새끼 새의 울음소리는 처음엔 어미와 달라. 그럼 어떻게 어미와 같은 소리를 내게 될까?

① 울음소리가 저절로 변해서
② 어미 새에게 배워서

16 새의 다리는 가늘어. 새의 다리는 어떤 일을 할까? (답은 2개)

① 새끼를 돌봐.
② 나무에 앉아.
③ 먹이를 잡아.

17 사람의 다리는 피부로 덮여 있어. 그럼 새의 다리는 무엇으로 덮여 있을까? (답은 2개)

① 비늘 ② 각질의 피부 ③ 가시

18 사람의 다리는 앞으로 구부러지는데, 왜 새의 다리는 뒤로 구부러질까?

① 구부러지는 곳이 발목이어서
② 무릎이 뒤로 구부러져서
③ 다리뼈가 물렁해서

발	깃털

발가락이 왜 2개뿐이야?

날지 못하는 대신 잘 달리려고 발가락이 2개야.

깃털이 하나 하나 모여서 내 몸을 덮고 있지.

내 깃털은 물속에서 헤엄칠 때도 젖지 않아.

19 수컷 새에겐 며느리발톱이 있어. 며느리발톱이 하는 일은 뭘까? (답은 2개)

① 균형을 잡아 줘.
② 털 속의 기생충을 잡아 줘.
③ 먹이를 잘 잡게 해 줘.

20 새는 보통 발가락이 3개나 4개인데 타조는 2개야. 왜 그럴까?

① 몸의 중심을 잡기 위해
② 먹이를 잡기 위해
③ 빨리 달리기 위해

21 오리의 발에는 물갈퀴가 있어. 물갈퀴는 어떤 일을 할까?

① 헤엄을 잘 치게 해.
② 진흙을 잘 파게 해.
③ 물의 온도를 재.

22 새의 온몸은 깃털로 덮여 있어. 다음 중 깃털이 하는 일은 뭘까? (답은 2개)

① 체온 조절을 해.
② 땀을 흡수해.
③ 몸을 가볍게 해.

23 새의 깃털은 물속에서 헤엄칠 때도 젖지 않아. 왜 그럴까?

① 코팅이 되어 있어서
② 기름이 깃털을 감싸서
③ 깃털이 몸속으로 들어가서

24 새의 날개깃 안에는 솜털이 있어. 솜털은 무슨 일을 할까?

① 피부를 보호해.
② 체온을 유지해.
③ 땀을 흡수해.

정답과 해설은 뒷쪽에 있어.

울음

다리

정답 **13.** ② **14.** ②, ③ **15.** ②

새들은 암컷을 유혹하거나 위급한 일이 있을 때 또는 자신의 영역을 주장할 때 울음소리를 내요.

경상도 사람과 강원도 사람의 말이 다르듯 새 소리도 지역이나 계절과 같이 새가 사는 주변 환경의 영향을 받아 조금씩 달라요.

새끼 새가 알에서 깰 때부터 어미 새와 같은 울음소리를 낼 수 있는 건 아니에요. 자라면서 어미 새의 울음소리를 듣고 배워야 어미 새와 같은 울음소리를 낼 수 있어요.

정답 **16.** ②, ③ **17.** ①, ② **18.** ①

새는 다리로 먹이를 잡고 나무에 앉아요. 대부분 새의 다리는 각질의 피부로 덮여 있지만, 닭의 다리는 비늘로 덮여 있어요.

새는 발과 발목 사이가 길고, 다리를 구부릴 때 무릎이 아닌 발목을 움직여요. 그래서 다리가 뒤로 구부러지는 것처럼 보여요.

새의 허벅지는 깃털 속에 가려서 보이지 않아요. 그래서 우리가 새의 허벅지라고 생각하는 부분은 실은 새의 종아리고, 종아리라고 생각하는 부분은 부척이에요.

발

딱따구리는 나무에서 어떻게 안 떨어지지?

딱딱
딱딱
딱딱

딱따구리의 발가락은 2개는 앞을 향하고, 나머지 2개는 뒤를 향해서 안 떨어져.

깃털

여름철새인 제비나 뻐꾸기는 깃털 수가 적어!

휘一익

겨울철새인 청둥오리나 기러기는 깃털 수가 많아.

정답 19. ①, ③ 20. ③ 21. ①

대부분의 새는 발가락이 3개 또는 4개예요. 하지만 타조는 말발굽처럼 생긴 2개의 발가락이 두터운 가죽으로 덮여서 빠르게 달릴 수 있어요.

주로 물에서 생활하는 오리, 백조와 같은 새들은 물갈퀴가 있어요. 물갈퀴는 물을 밀어서 헤엄을 잘 치게 해 줘요.

닭이나 꿩 같은 새의 수컷은 발에 며느리발톱이 있어요. 며느리발톱은 뾰족하고 날카로워서 먹이를 잡거나 싸울 때, 균형을 잡을 때 써요.

정답 22. ①, ③ 23. ② 24. ②

새의 깃털은 크게 날개 깃털, 몸을 덮는 깃털, 솜털로 나누어져요.

날개 깃털은 하늘을 날 수 있게 해 주고, 몸을 덮은 깃털은 공기의 방해를 줄이고 몸에 물이 스며들지 못하게 해요. 새들은 부리로 꼬리 쪽의 기름샘에서 나오는 기름을 깃털에 발라서 물속에 들어가도 거의 젖지 않아요.

날개 깃털 안에는 보드라운 솜털이 있어요. 솜털은 따뜻한 공기를 감싸서 몸을 따뜻하게 해요.

158-159쪽 정답이야.

집중탐구 퀴즈

문제를 잘 읽고 맞는 것을 골라봐. 쉽지 않을걸!

꽁지	날개

내 꽁지 좀 봐. 멋지지?

저 비둘기는 왜 저렇게 날개가 작아? 새끼 비둘기인가?

빠르게 날려면 날개가 짧고 무거워야 해.

25 개는 꼬리뼈가 있고 사람은 없어졌어. 그럼 새는 어떨까?

① 예전에 비해 작아졌어.
② 사람처럼 없어졌어.
③ 처음부터 꼬리뼈가 없었어.

26 새는 직선으로 날 때 꽁지를 직선으로 펴. 원으로 날 때는 어떻게 할까?

① 뱅글뱅글 돌려.
② 좌우로 흔들어.
③ 좌우로 크게 벌려.

27 천인조는 짝짓기를 할 때 꽁지가 변해. 어떻게 변할까?

① 꽁지의 색이 변해.
② 꽁지로 춤을 춰.
③ 평소보다 긴 꽁지가 나와.

28 새의 조상은 날개가 없었는데 새들은 날개가 있어. 날개는 무엇이 변한 걸까?

① 꼬리   ② 뒷다리   ③ 앞다리

29 경주용 비둘기는 속력이 시속 140킬로미터야. 경주용 비둘기의 날개는 어떻게 생겼을까?

① 짧고 무거워.   ② 작고 가벼워.
③ 기다랗고 가벼워.

30 새의 날개 안쪽은 몸을 띄우는 일을 해. 날개의 바깥쪽은 어떤 일을 할까?

① 날개 근육을 단단하게 해.
② 추진력을 발생시켜.
③ 오래 날도록 힘을 저장해.

비행

먹이를 한번 잡아 볼까?

왜 저렇게 뱅뱅 도는 거야. 어지럽게.

먹이

저 긴 부리 때문에 마음 놓고 살 수가없어. 도망가자!

오늘은 개구리 반찬으로 저녁을 먹어 볼까.

---

31 새의 가슴통은 하늘을 잘 날 수 있는 모양이야. 어떻게 생겼을까?

① 둥글게 생겼어.
② 평평하게 생겼어.
③ 꺾여 있어.

32 작은 새는 날갯짓을 해서 바로 날아올라. 큰 새는 어떻게 날아오를까?

① 참새처럼 날갯짓을 해서
② 발로 뛰며 날갯짓을 해서
③ 점프를 해서

33 대부분 새는 날개를 펄럭이거나 날개를 편 채 날아. 독수리는 어떻게 날까?

① 날개를 편 채 큰 원을 그려.
② 날개를 접고 바람을 따라가.
③ 한쪽 날개만 날갯짓을 해.

34 갈매기는 물고기를 먹고, 공작은 나무 열매를 먹어. 독수리는 다음 중 무얼 먹을까?

① 곡식   ② 곤충
③ 죽은 짐승

35 벌새는 꽃 꿀을 먹어서 꽃이 많은 곳에 살아. 물고기를 잡아먹는 백로는 어디에 살까?

① 밭   ② 물가   ③ 산

36 논에서 개구리나 물고기를 잡아먹는 따오기의 부리는 어떻게 생겼을까?

① 가늘고 길어.
② 짧고 두꺼워.
③ 갈고리 모양이야.

정답과 해설은 뒷쪽에 있어.

집중탐구 퀴즈 정답 & 해설

꽁지

정답 25.① 26.③ 27.③

새의 꽁지는 꼬리뼈는 작아졌지만 다양한 일을 해요. 하늘을 날 때 몸의 균형을 잡아 주거나 날아가는 방향을 바꿔 줘요. 직선으로 날 때는 직선으로 펴고, 원으로 날 때는 좌우로 크게 벌려요.

수컷이 암컷을 유혹할 때도 꽁지를 사용해요. 아프리카에 사는 천인조는 짝짓기할 때 꽁무늬에서 20센티미터나 되는 긴 꽁지가 새로 나와서 암컷에게 구애를 해요.

날개

정답 28.③ 29.① 30.②

맨 처음 새의 조상은 날개가 없었고 4개의 다리가 있었어요. 그러다 우연히 앞다리가 날개로 변한 조상이 나타나서 오늘날의 새로 진화했어요.

새는 날개의 안쪽으로 몸을 띄우고 바깥쪽으로 밀어내는 힘을 발생시켜 하늘을 날아요.

새의 날개는 쓰임새에 따라 크기와 모양이 달라요. 빠르게 날아야 하는 경주용 비둘기의 날개는 짧고 무겁고, 탁 트인 넓은 공간을 나는 갈매기의 날개는 폭이 좁고 길어요.

비행

먹이

정답 31. ① 32. ② 33. ①

새의 몸은 가슴통은 둥글고 꼬리 쪽은 뾰족한 유선형이에요. 유선형의 몸은 날 때 공기의 방해가 적어요.

새는 크기나 무게에 따라 나는 방법이 달라요. 참새처럼 작은 새는 날갯짓을 해서 바로 날지만, 백조처럼 큰 새는 발로 뛰어가며 날갯짓을 해야 날 수 있어요.

독수리는 특이한 모양으로 날아요. 보통 새들은 목적지를 향해 직선으로 날아가는데, 독수리는 날개를 편 채로 큰 원을 그리며 날아요.

정답 34. ③ 35. ② 36. ①

새는 사는 곳에 따라 먹이도 매우 다양해요. 참새는 곡식을, 갈매기는 물고기를 먹어요. 따오기는 늪이나 논에서 개구리나 물고기를 잡아먹어요.

먹이에 따라서 부리의 모양도 달라요. 주로 해안가에 살며 물고기를 잡아먹는 백로는 부리가 물고기를 잡아먹기 좋게 가늘고 길어요. 병들거나 죽은 짐승을 먹고사는 독수리는 부리가 고기를 뜯기 좋게 갈고리 모양이에요.

162-163쪽 정답이야.

소화와 배설

왜 이빨이 없지? 할머니인가?

우린 원래 이빨이 없어. 음식은 모래주머니가 잘라 줘.

새의 시각

부리부리한 눈! 진정한 얼짱이지.

시력이 좋아서 어두운 곳에서도 먹이를 잡을 수 있지.

37 새는 이빨이 없어. 새는 이빨 대신 무엇으로 음식을 자를까?

① 모래주머니
② 모이주머니
③ 공기주머니

38 새는 똥이 생기면 바로 똥을 싸. 왜 그럴까?

① 소화가 잘 되게 하려고
② 몸을 가볍게 하려고
③ 몸을 깨끗하게 하려고

39 새는 똥과 오줌을 한꺼번에 눠. 왜 그럴까?

① 나오는 곳이 하나여서
② 만들어지는 곳이 하나여서
③ 시간을 줄이기 위해서

40 새는 시력이 좋고 눈이 커. 새의 눈은 얼만큼 클까?

① 새의 머리 속 뇌만큼
② 새의 입 속 혀만큼
③ 새의 날개만큼

41 이 새는 3.2킬로미터 떨어진 곳에서 40센티미터 크기의 토끼도 알아보고 사냥을 해. 이 새는 누구일까?

① 꿩   ② 올빼미
③ 독수리

42 개는 색을 구별할 수 없어. 새는 색을 구별할 수 있을까?

① 그럼, 구별할 수 있어.
② 아니, 구별할 수 없어.

새의 청각과 미각

아! 쓴맛 나. 목에서 쓴맛이 느껴져.

입에선 몰랐는데 목으로 가니까 느껴지네.

인간과 새

와! 까치다. 까치는 사람에게 도움을 주는 새야.

오늘은 어떤 해충을 잡아 먹을까?

43 사람의 귀는 얼굴 옆에, 토끼의 귀는 머리 위에 있어. 새의 귀는 어디에 있을까?

① 부리 위에　② 머리 안에
③ 털끝에

44 올빼미는 소리를 잘 들어. 어떤 점이 좋을까?

① 어두운 곳에서도 먹이를 잡아.
② 자신의 집을 빨리 찾아.
③ 적의 소리를 잘 들을 수 있어.

45 사람은 맛을 혀로 느껴. 새는 맛을 어디로 느낄까?

① 부리　　　② 혀
③ 목

46 이 새는 동백나무가 씨앗을 만들 수 있도록 동백꽃의 꽃가루를 암술머리에 붙여 줘. 이 새는 누구일까?

① 동박새　② 부엉이　③ 사다새

47 해충을 잡아먹어 사람에게 도움을 주는 새가 있어. 다음 중 이 새는 누구일까?

① 까마귀　② 참새　　③ 까치

48 새들은 심한 감기와 비슷한 증상을 보이는 조류독감을 일으켜. 조류독감은 사람에게도 옮겨질까?

① 그럼, 옮겨져.
② 아니, 옮겨지지 않아.

정답과 해설은 뒤쪽에 있어.

집중탐구 퀴즈 정답 & 해설

소화와 배설

새의 시각

정답 37. ① 38. ② 39. ①

새는 이빨이 없는 대신 모래주머니가 소화를 도와요. 먹이와 함께 먹은 모래나 작은 돌이 모래주머니 속에서 음식과 섞여 음식을 잘게 부서줘요.

하늘을 나는 새는 항상 몸이 가벼워야 해요. 그래서 똥이 생기면 바로 싸기 위해 새의 소화 기관은 짧고, 구불구불하지 않고 직선으로 뻗어 있어요. 또 새는 똥과 오줌이 나오는 곳이 하나여서 묽은 똥을 싸요.

정답 40. ① 41. ③ 42. ①

새는 높은 곳을 날다 먹이를 잡아야 하기 때문에 눈이 발달해 있어요. 눈의 크기는 새의 머리 속 뇌랑 비슷할 정도로 크고, 색깔을 구별할 수 있어요.

새의 눈은 고정되어 있어서 눈알을 움직이지 못해요. 대신 새들은 머리를 이리저리 돌려서 먹잇감을 찾거나 적을 피해요. 그런데 특이하게 멧도요는 눈이 머리의 약간 뒤쪽에 달려서 머리를 좌우로 움직이지 않고도 사방을 볼 수 있어요.

168

새의 청각과 미각

인간과 새

정답 43.② 44.① 45.③

동물의 귀는 몸 바깥에 달려 있지만 새는 특이하게 머리 깃털 안쪽으로 귀가 있어요.

새는 청각이 아주 발달해서 어두운 곳에서도 벌레가 움직이는 소리를 들을 수 있어요. 올빼미는 생쥐가 20미터 이상 멀리 떨어진 곳에서 바스락거리며 곡식을 먹는 소리를 들을 수 있을 정도예요.

새의 혀에는 맛을 보는 미뢰가 사람보다 훨씬 적어요. 그래서 맛을 혀로 못 느끼고 목으로 느껴요.

정답 46.① 47.③ 48.①

새는 인간에게 도움을 주기도 하고 해로움을 주기도 해요.

동박새는 동백꽃의 꿀을 먹고 수술의 꽃가루를 암술머리로 옮겨서 동백나무가 씨앗을 만들 수 있도록 도와 줘요. 또 까치나 개똥지빠귀는 해충을 잡아먹어서 도움을 줘요.

새들은 감기와 비슷한 증상의 조류독감에 걸리기도 해요. 조류독감은 사람이나 사람이 키우는 닭이나 오리에게 옮겨져 피해를 주기도 해요.

속담 퀴즈 > 열쇠를 찾아봐. 속담이 보일 거야.

■■■ 날자 배 떨어진다.

➡ 아무 관계 없이 한 일이 마침 다른 일과 때가 같아 의심을 받는다.

■ 잃은 기러기 같다.

➡ 몹시 외롭다.

새발의 ■

➡ 어떤 일이 매우 하찮거나 양이 작다.

뱁새가 황새 따라가다 ■■■ 가 찢어진다.

➡ 남이 한다고 제 힘에 겨운 일을 억지로 하다 끝내 화를 당하게 된다.

나는 ■도 떨어뜨린다.

➡ 권세가 등등하여 두려울 것이 없다.

피

까마귀

가랑이

새

짝

또또 퀴즈

정답 33쪽

 다음 중 이 책에 나오지 않는 토라는 어느 것일까?

❶

❷

❸

❹

❺

과연~
만만치 않을걸?

125쪽 정답 ❸

또또 퀴즈~ 정말 재미있다. 어디 어디 숨었을까?

텃새

좀 있으면 겨울이 와.

먹이를 많이 먹고 겨울잠을 자야지.

철새

나는 잠깐 들렀다 가는 나그네새야.

뭐야? 벌써 가는 거야? 봄도 안 왔는데?

49 크낙새, 까치는 다른 나라로 떠나지 않고 한 곳에서 살아. 이런 새를 뭐라고 할까?

① 터줏대감새 ② 텃새
③ 떠돌이새

50 텃새들은 추운 겨울을 어떻게 준비할까? (답은 2개)

① 빈 나무에 숨어서 지내.
② 겨울에 맞는 먹이를 구해 먹어.
③ 몸에 영양분을 저장해.

51 쏙독새는 먹이를 많이 먹고 겨울잠을 자. 그럼 어치는 어떻게 겨울을 날까?

① 먹이를 땅에 묻고 꺼내 먹어.
② 땅 속의 흙을 먹어.
③ 작은 벌레를 잡아먹어.

52 기러기는 텃새처럼 한 곳에 살지 않고 계절에 따라 이동해. 이런 새를 뭐라고 할까?

① 철새 ② 떠돌이새 ③ 주인새

53 지난 겨울에 떠난 철새는 어떻게 봄이 되면 같은 장소로 돌아올까?

① 바람의 이동 방향을 따라서
② 이동할 때 주변 모습을 기억해서

54 제비갈매기는 봄과 가을에 우리 나라를 지나쳐 날아가. 이런 새를 뭐라고 할까?

① 이동새 ② 나그네새
③ 단골새

172

새와 장소

딱따구리 둥지 찾아요.

둥지 좀 지어라. 만날 왜 남의 집을 빌려 사니?

사는 방법

자 자 빨리빨리 모여 봐.

여기 있었구나. 한참 찾았어.

55 새들은 자연뿐 아니라 도시에서도 살아. 왜 그럴까?

① 도시가 따뜻해서

② 도시는 적의 공격이 없어서

③ 사람이 주는 먹이를 먹으려고

56 사막에 사는 새는 먼 곳까지 날아가서 물을 먹고 와. 그럼 사냥은 언제 할까?

① 시원한 밤에   ② 밝은 낮에

③ 비가 오는 새벽에

57 이 새는 주로 숲에서 살면서 딱따구리가 버리고 간 둥지에서 살아. 이끼로 알 낳을 자리를 만드는 이 새는 누구일까?

① 동고비   ② 백로   ③ 까마귀

58 새들은 번식기가 되면 여러 쌍이 모여 살기도 해. 왜 모여 살까? (답은 2개)

① 새끼를 함께 키우려고

② 먹이를 함께 잡으려고

③ 적을 함께 막으려고

59 괭이갈매기는 몇 천에서 몇 만 마리가 모여 살아. 이렇게 무리 지어 사는 것을 뭐라고 할까?

① 집합   ② 콜로니   ③ 모둠

60 새들이 무리 지어 살 때 암컷들은 둥지와 새끼를 보호해. 수컷들은 어떤 일을 할까?

① 적으로부터 방어를 해.

② 적을 유인해.   ③ 모여서 놀아.

정답과 해설은 뒤쪽에 있어.

집중탐구 퀴즈 정답 & 해설

텃새

철새

정답 49.② 50.②,③ 51.①

어떤 지역에 1년 동안 그 곳을 떠나지 않고 살며 번식하는 새를 텃새라고 해요. 참새, 까치, 까마귀, 꿩 같은 새들이 텃새예요.

텃새들은 먹이를 바꾸며 적응하거나 가을에 먹이를 많이 먹어서 몸에 영양분을 저장하는 등 저마다의 방법으로 추운 겨울을 나요.

또 겨울에 먹을 도토리를 어치처럼 땅에 묻어 저장하거나, 딱따구리처럼 참나무에 구멍을 뚫어 저장하는 새들도 있어요.

정답 52.① 53.② 54.②

계절에 따라 살기 좋은 곳으로 옮겨 다니는 새들을 철새라고 해요. 제비나 두견이 같은 여름철새는 동남아시아에서 겨울을 나고 봄에 우리나라에 와요. 기러기나 청둥오리 같은 겨울철새는 가을에 우리 나라에 와서 겨울을 지내고 가요. 나그네새는 북쪽에서 겨울을 나기 위해 남쪽으로 이동하는 도중에 잠깐 우리 나라에 머물렀다가 가요.

철새는 주변의 모습을 기억하며 이동하기 때문에 길을 잃지 않아요.

새와 장소

정답 55. ③ 56. ① 57. ①

새들은 사는 곳에 따라 사는 방법도 달라요. 도시에 사는 비둘기, 참새 등은 사람이 주는 먹이를 먹고 빌딩이나 공원에 둥지를 만들어요.

금독수리처럼 사막에 사는 새들은 먹이와 물을 찾기 위해 먼 거리를 이동해요. 또 낮에는 햇볕이 강하고 너무 더워서 주로 시원한 밤에 먹이를 찾아 다녀요.

숲에 사는 동고비는 딱따구리가 버린 둥지의 구멍을 진흙으로 다지고 이끼로 알 낳을 자리를 만들어요.

사는 방법

정답 58. ②, ③ 59. ② 60. ①

새 중에는 무리지어 사는 새도 있고 혼자 사는 새도 있어요. 말똥가리, 산솔새 등은 암수가 함께 살거나 혼자서 생활해요.

왜가리나 백로 등은 번식기가 되면 새끼를 낳고 적의 공격에 대항하기 위해 여러 쌍이 모여 살아요. 무리에서 암컷들은 둥지와 새끼를 보호하고, 수컷들은 적으로부터의 공격을 방어해요. 괭이갈매기는 몇 천 마리에서 몇 만 마리까지 모여 살기도 하는데, 이것을 콜로니라고 해요.

172~173쪽 정답이야.

둥지 1

적이 올 수 없는 곳에 지었지.

와~! 정말 높다. 럭셔리 초고층 둥지네.

둥지 2

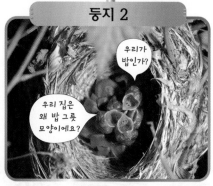

우리가 밥인가?

우리 집은 왜 밥그릇 모양이에요?

61 새들은 왜 둥지를 만들까?

① 먹이를 저장하기 위해
② 알을 낳기 위해
③ 똥오줌을 싸기 위해

62 새들은 어떤 곳에 둥지를 지을까?

① 사람들이 많이 다니는 곳
② 바람이 많이 부는 곳
③ 적이 올 수 없는 곳

63 새들은 둥지를 만들 때 보통 어떤 재료를 이용할까? (답은 2개)

① 마른풀
② 나뭇가지
③ 콘크리트

64 숲 속에 사는 멧새는 밥그릇 모양의 둥지를 만들어. 물가에 사는 논병아리는 어떤 모양의 둥지를 지을까?

① 지팡이 모양   ② 주머니 모양
③ 뗏목 모양

65 바다제비는 재료 없이 둥지를 지어. 어떻게 지을까?

① 나무 틈에 구멍을 내서
② 바위 틈에 구멍을 내서
③ 땅에 구멍을 파서

66 이 새는 나뭇잎에 구멍을 내서 잎을 꿰매 둥지를 지어. 이 새는 누구일까?

① 재봉새
② 저어새
③ 동고비

176

짝짓기

춤 실력을 뽐내 볼까? 백순이! 널 위해 준비했어.

호호, 난 춤 잘 추는 남자가 좋더라.

알

타원 모양이면 잘 굴러가지 않아서 안전하지.

엄마 새가 낳기 편하라고 타원 모양인 거야.

근데 엄만 어디 간 거야?

67 수컷 오리는 번식기가 되면 이것의 색깔이 변해. 무엇이 변할까?

① 부리
② 깃털
③ 물갈퀴

68 백로는 짝짓기를 할 때 특별한 행동을 해. 어떤 행동을 할까?

① 암수가 함께 춤을 춰.
② 수컷의 몸 색깔이 변해.
③ 높은 소리를 내.

69 참새는 노래를 하고 꿩은 날개를 펴서 암컷을 유혹해. 원앙은 어떻게 할까?

① 암컷에게 둥지를 선물해.
② 암컷에게 먹이를 줘.
③ 자신의 날개와 가슴을 자랑해.

70 새는 알을 낳아. 새는 왜 새끼를 낳지 않고 알을 낳을까?

① 새끼를 배면 몸이 무거워서
② 알에서 날개가 만들어져서
③ 적에게 들키지 않으려고

71 새의 알은 달걀처럼 타원형이야. 왜 그럴까? (답은 2개)

① 둥지에서 떨어지지 않으려고
② 알을 쉽게 깨고 나오려고
③ 어미 새가 쉽게 낳으려고

72 대부분 새는 알을 낳는 곳과 알의 색이 비슷해. 왜 그럴까?

① 다른 알과 헷갈리지 않으려고
② 적의 눈에 띄지 않으려고
③ 자기가 사는 곳을 알아 두려고

정답과 해설은 뒤쪽에 있어.

집중탐구 퀴즈 정답 & 해설

둥지 1

둥지 2

정답 61. ② 62. ③ 63. ①, ②

어미 새는 적의 눈에 잘 띄지 않는 곳에 둥지를 지어요. 또 습도와 온도 조절을 위해 둥지의 모양과 재료에 신경을 써서 골라요.

새에 따라 나무 꼭대기, 처마 밑, 땅속이나 절벽에 짓기도 하고, 나무나 흙벽에 구멍을 파서 짓기도 해요.

새는 둥지를 만들 때 새끼 새의 무게를 견딜 수 있는 재료를 선택하는데, 주로 나뭇가지, 깃털, 건초, 식물 뿌리 등을 사용해요.

정답 64. ③ 65. ③ 66. ①

새마다 둥지의 모양이 달라요. 멧새는 둥지가 밥그릇 모양이고, 논병아리는 둥지가 뗏목 모양이에요.

둥지의 크기는 새의 크기에 따라 달라요. 벌새처럼 작은 새의 둥지는 지름이 2.5센티미터 정도이지만, 독수리처럼 큰 새의 둥지는 2.5미터가 넘어요.

둥지의 재료도 다양해요. 칼새는 자신의 침으로 둥지를 만들고, 재봉새는 나뭇잎이나 풀을 모아 뜨개질 하듯이 엮어서 둥지를 만들어요.

짝짓기

알

수컷 새는 짝짓기를 위해 여러 가지 행동을 해요. 꿩이나 공작은 꽁지를 펴고, 꾀꼬리나 참새는 노래를 해요. 수컷 오리는 번식기가 되면 깃털색이 바뀌고, 두루미는 짝짓기할 때 암수가 함께 춤을 춰요. 멧도요는 멋지게 하늘을 나는 모습을 보여 줘요. 물총새나 쇠제비갈매기는 수컷이 먹이를 잡아서 암컷에게 선물을 해요. 꼬마물떼새 암컷은 둥지가 마음에 드는 수컷과 짝짓기를 해요. 원앙은 멋진 날개와 가슴을 자랑해요.

새는 새끼를 낳지 않고 알을 낳아요. 새끼를 배고 있으면 무거워서 날기 힘들기 때문이에요. 새의 알은 타원형이어서 어미 새가 낳기 쉽고, 둥지에서 굴러 떨어지지 않아요.

새의 알은 적의 눈에 잘 띄지 않게 주변의 색과 비슷한 보호색을 띠는 경우가 많아요. 백로처럼 높은 곳에서 알을 낳는 새보다 물떼새처럼 낮은 곳에 알을 낳는 새의 알이 적의 공격을 받을 가능성이 커서 보호색이 더 발달했어요.

176-177쪽 정답이야.

집중탐구 퀴즈

문제를 잘 읽고 맞는 것을 골라봐. 쉽지 않을걸!

성장	새의 모성

다른 새들은 엄마가 먹이를 찾아 주는데, 우리 엄만 계모인가 봐.

먹을 것 없나 잘 찾아 봐.

엄마 아빠가 번갈아 가며 품어 주니까 좋지?

엄마, 아빠의 사랑을 느낄 수 있어서 좋아요.

73 새끼 새들은 대부분 어미가 물어다 주는 먹이를 먹지만 이 새의 새끼는 스스로 먹이를 찾아. 다음 중 누구일까?

① 닭   ② 꿩
③ 매

74 새끼 새들은 둥지에 똥을 눠. 이 똥은 어떻게 될까?

① 스스로 자기의 똥을 치워.
② 둥지에 계속 쌓여.
③ 어미가 똥을 내다 버려.

75 새들은 태어나자마자 하늘을 날 수 있을까?

① 그럼, 태어나자마자 날아.
② 아니, 연습을 해야 날아.

76 새들은 보통 암컷이 알을 품는데, 이 새는 암컷과 수컷이 번갈아 알을 품어. 다음 중 이 새는 누구일까?

① 비둘기   ② 까치   ③ 갈매기

77 새끼 새가 나오고 난 뒤, 어미 새는 깨진 알을 어떻게 할까?

① 그대로 쌓아 둬.
② 작게 쪼개 둥지에 깔아 둬.
③ 어미 새가 버리거나 먹어.

78 어미 새들은 새끼들이 잘 자랄 수 있도록 어떻게 먹이를 줄까? (답은 2개)

① 물어다 줘.
② 소화시킨 후 토해서 줘.
③ 먹이가 있는 곳을 알려 줘.

암수 구별

이봐, 내 모습이 반할만큼 멋지지 않아?

흠, 멋지긴 하지만 쉽게 넘어가선 안돼.

사냥법

고기를 잡으러 ♪ 바다로 갈 까요.

그늘을 잘 만들어서 물고기가 많이 오게 해야지.

79 대부분의 새는 수컷은 화려하고 암컷은 수수해. 암컷 새는 왜 수수할까?

① 위장을 쉽게 하려고
② 몸치장을 하지 않아서
③ 깃털이 짧아서

80 수컷 꿩은 깃털 색이 화려하고 몸집이 커. 암컷 꿩은 어떨까?

① 검은색으로 몸집이 커.
② 회색으로 몸집이 작아.
③ 황갈색으로 몸집이 작아.

81 새들 중에는 암수의 생김새가 비슷한 것이 있어. 다음 중 누구일까?

① 공작   ② 비둘기
③ 원앙

82 왜가리는 긴 날개를 이용해 먹이를 잡아. 어떻게 이용할까?

① 물을 쳐서 물보라를 일으켜.
② 활짝 펴서 그물을 만들어.
③ 활짝 펴서 그늘을 만들어.

83 물수리는 물고기를 먹어. 그럼 하늘에서 물고기를 발견하면 어떻게 할까?

① 직선으로 곧장 내려가.
② 친구에게 신호를 보내.
③ 큰 원을 그리면서 내려가.

84 황조롱이는 들쥐를 먹어. 들쥐를 찾기 위해서 어떻게 할까?

① 논이나 밭에 앉아 있어.
② 하늘을 여기저기 날아다녀.
③ 하늘에 정지해서 떠 있어.

정답과 해설은 뒤쪽에 있어.

성장

새의 모성

정답 73. ① 74. ③ 75. ②

새끼 새가 자라는 데는 보통 몇 주에서 몇 달 걸려요. 그 때까지는 어미 새가 먹이도 구해다 주고, 위험에서 보호해 주고, 새끼 새가 눈 똥도 치워 줘요.

새끼 새는 태어나자마자 날지 못해요. 어미 새에게 나는 방법을 배워야 날 수 있어요. 어미 새는 먹이를 이용해서 새끼 새가 둥지 밖으로 나오도록 유인해요. 새끼 새는 날갯짓 연습을 계속해서 날개의 힘을 키워야 날 수 있게 돼요.

정답 76. ③ 77. ③ 78. ①, ②

새들은 보통 암컷이 알을 품어서 새끼를 부화시켜요. 하지만 갈매기와 두루미는 암컷과 수컷이 번갈아 알을 품고, 호사도요는 수컷이 알을 품어요.

어미 새는 새끼가 깨고 나온 알을 먹거나 버려요. 깨진 알의 안쪽이 적게 들키기 쉬운 하얀색이기 때문이에요.

어미 새는 먹이를 줄 때 새끼 새가 소화를 잘 시킬 수 있도록 소화시킨 것을 토해서 주기도 해요.

암수 구별

사냥법

정답 79.① 80.③ 81.②

수컷 새들은 보통 암컷을 유혹하기 위해서 색깔이 화려하고 예뻐요. 하지만 암컷은 알을 낳고 보호해야 하기 때문에 위장이 쉽도록 주변 색깔과 비슷해요. 몸집도 보통 암컷이 수컷보다는 작아요.

비둘기, 펭귄, 학, 기러기, 독수리처럼 암수의 생김새와 색깔이 비슷한 새들도 있어요. 이렇게 암수가 비슷한 새들은 사이가 아주 좋아서 서로 힘을 합쳐 둥지를 짓고 새끼를 키워요.

정답 82.③ 83.① 84.③

새의 종류에 따라서 먹이를 잡는 방법은 매우 다양해요.

왜가리는 날개를 우산처럼 펴서 물 위에 그늘을 만들어요. 물고기가 그늘을 피난처로 알고 그 아래로 숨어들어 오면 잡아먹지요. 도요새는 물속에서 발을 흔들어 먹잇감을 놀라게 해서 잡아먹어요.

물수리는 하늘을 날다가 물고기를 발견하면 직선으로 바로 내려가서 잡아요. 황조롱이는 먹이를 찾기 위해 정지한 듯 하늘에 떠 있어요.

180~181쪽 정답이야.

집중탐구 퀴즈

문제를 잘 읽고 맞는 것을 골라봐. 쉽지 않을걸!

공격과 방어

엄마,
왜 울어?
슬퍼?

엄마가 울면 네가
위험하다는 뜻이지.
연습해 본거야.

날지 못하는 새

오늘은
나는 게 더
힘드네. 점점
나는 능력이
없어지고
있나 봐.

이러다
펭귄이나 닭처럼
될 거 같아.

---

85 큰기러기가 먹이를 먹다가 위험을 느꼈어. 어떻게 할까?

① 일제히 목을 쳐들어.
② 부리를 다리 사이에 박아.
③ 날개를 파닥거려.

86 새끼 제비갈매기가 위험에 처했어. 어미 제비갈매기는 어떻게 할까?

① 큰 소리로 울어.
② 부리로 쪼아.
③ 날갯짓을 해서 위협해.

87 새끼 논병아리가 위험에 처했어. 어미 논병아리는 어떻게 할까?

① 새끼를 날개 뒤로 숨겨.
② 재빠르게 헤엄쳐 도망가.
③ 새끼를 업고 날아가.

88 날지 못하는 새도 있을까?

① 그럼, 날지 못하는 새도 있어.
② 아니, 날지 못하는 새는 없어.

89 타조나 펭귄은 왜 날 수 없을까?

① 날지 않아도 먹이를 구할 수 있어서
② 날개 안에 뼈가 없어서
③ 깃털이 무거워서

90 닭처럼 날개는 있지만 나는 능력이 점점 없어지는 새가 있어. 다음 중 누구일까?

① 황조롱이　② 흰눈썹뜸부기
③ 황새

펭귄

아~! 이제 슬슬 수영을 하러 나가볼까?

물속에서 멋진 날개짓을 선보여야겠군.

멸종 위기의 새

와! 저런 새는 처음 봐.

내 친구들이 모두 사라지고 몇 명 안 남아서 처음 보는 걸 거야.

91 펭귄은 날지 않고 헤엄쳐. 펭귄의 날개는 어떤 모양일까?

① 지느러미 모양

② 구부러진 모양

③ 일직선 모양

92 펭귄의 몸은 잠수에 편리하게 생겼어. 어떻게 생겼을까?

① 잠수함처럼 생겼어.

② 뼛속에 공기가 없어.

③ 물고기처럼 비늘이 있어.

93 젠투펭귄은 알을 품는 방식이 독특해. 어떻게 알을 품을까?

① 자갈로 둥지를 만들고 몸을 눕혀서

② 발 위에 올려놓고 뱃살로

94 너무 크고 무거워서 날지 못했던 이 새는 인간에게 발견되었을 때 도망치지 못해서 300년 전에 멸종되었어. 이 새는 누구일까?

① 도도 ② 후이아 ③ 여행비둘기

95 저어새는 왜 멸종 위기에 놓이게 됐을까? (답은 2개)

① 나무가 점점 줄어서

② 저어새의 적이 점점 줄어서

③ 먹이가 점점 줄어서

96 황새나 흑두루미처럼 희귀한 새들은 이것으로 지정을 해서 보호해. 이것은 뭘까?

① 희귀종　　　② 보호 동물

③ 천연기념물

정답과 해설은 뒤쪽에 있어.

집중탐구 퀴즈 정답&해설

공격과 방어

날지 못하는 새

새들은 적의 공격을 막기 위해 무리를 이루어 살거나, 위장을 해서 적의 눈에 띄지 않게 해요. 높은 곳에 사는 왜가리나 백로는 냄새 나는 배설물로 적을 쫓아내기도 해요. 꼬마물떼새는 적이 오면 날개가 다친 것처럼 행동해요. 큰기러기는 먹이를 먹다가 위험을 느끼면 일제히 목을 들어 올려요. 또 제비갈매기는 새끼가 위험에 처하면 큰 소리로 울고, 논병아리는 새끼가 위험에 처하면 새끼를 업고 날아가요.

새 중에는 날지 못하는 새도 있어요. 타조나 에뮤는 날개나 꽁지가 퇴화하여 날지 못하는 경우예요. 이런 새들은 날지 않아도 먹이를 구할 수 있고, 땅 위에서의 생활에 알맞도록 다리가 발달했어요. 펭귄처럼 날개의 역할이 헤엄치기로 바뀐 경우도 있어요.
물가에서 사는 흰눈썹뜸부기는 날개는 있지만 나는 능력이 점점 없어지고 있어요. 멀리까지 가지 않고도 먹이를 구할 수 있기 때문이에요.

펭귄

요즘 먹기만 했더니 살이 쪘네. 수영으로 좀 빼야지!

촤 악

니드 포 다이어트

멸종 위기의 새

천연기념물인 황새 꿈을 꿨는데 재수가 좋으려나?

배를 보니 8개월인가 봐!

황새 꿈은 태몽인데!

B-BIRD

정답 91. ① 92. ② 93. ①

펭귄은 남극, 뉴질랜드 남부와 그 주변 해역, 남아메리카, 남아프리카에 살아요. 주로 바닷가에서 생활하는데 땅에서는 똑바로 서서 걷고, 물속에서는 헤엄을 치기 때문에 날개가 지느러미 모양이에요. 또 펭귄은 뼛속에 공기가 들어 있지 않아서 잠수하기에도 편리해요.

알을 품는 방법이 특이한 펭귄이 있어요. 황제펭귄은 알을 발 위에 놓아서 품고, 젠투펭귄은 자갈로 둥지를 만들어 몸을 눕혀서 품어요.

정답 94. ① 95. ①, ③ 96. ③

도도는 크고 무거워서 날 수가 없는 새였어요. 그래서 인간이 도도를 발견했을 때 도망을 치지 못하고 붙잡혀서 300년 전에 멸종되었지요.

최근에는 인간이 자연환경을 파괴하면서 새들이 둥지를 지을 나무와 먹이가 점점 줄어들고 있어요. 저어새와 큰기러기를 비롯한 수많은 새가 멸종 위기를 맞고 있어요.

크낙새, 황조롱이, 흑두루미와 같은 새들은 학문적 가치가 높고 희귀해서 천연기념물로 지정해 보호해요.

184-185쪽 정답이야.

1 하늘을 나는 동물 3학년

비둘기

갈매기

까치

1. 날개가 있어서 하늘을 날 수 있다. (○ , ×)
2. 다리가 없어서 땅에서는 생활할 수 없다. (○ , ×)
3. 몸의 표면이 깃털로 덮여 있다. (○ , ×)
4. 집 안에서 주로 키운다. (○ , ×)
5. 몸이 유선형이고, 아가미로 호흡을 한다. (○ , ×)

2 새의 생활 방식 3학년

1. 추운 겨울을 피해 따뜻한 남쪽으로 내려간다. (○ , ×)
2. 온도나 계절의 변화에 의한 것이다. (○ , ×)
3. 철새는 길을 찾지 못하기 때문에 또 다른 곳에 정착한다. (○ , ×)
4. 참새, 까치, 까마귀는 철새이다. (○ , ×)

 190쪽 정답 ⑤ 1.○ 2. × 3.○ 4.○ 5.○

기대하시라!

3 새의 구애 행동   3학년

1. 먹이를 서로 먹기 위해 싸우는 행동이다. (○ , ×)
2. 서로가 마음에 든다는 행동이다. (○ , ×)
3. 무리의 우두머리를 차지하기 위한 행동이다. (○ , ×)

4 새의 생활 방식   5학년

| 독수리 | 부엉이 | 박쥐 |

1. 독수리는 낮에 생활하고, 부엉이는 밤에 생활한다. (○ , ×)
2. 독수리는 청각이 발달되어 있고, 부엉이는 시각이 발달되어 있다. (○ , ×)
3. 박쥐는 눈이 퇴화되었고, 귀가 발달했다. (○ , ×)
4. 박쥐는 조류이다. (○ , ×)

191쪽 정답 **6** 1.ㄹ 2.ㄱ 3.ㅁ 4.ㄴ 5.ㄷ

교과서 도전 퀴즈

학교 시험에는 어떻게 나올까? 도전해봐!

정답 188쪽

5 생물이 환경에 적응한 예   5학년

독수리   참새

마도요   오리

1. 새의 종류에 따라 부리 모양이 다른 것은 새가 먹이를 얻을 수 있는 환경에 적응한 것이다. (○ , ×)

2. 참새는 부리를 넓게 벌려서 곤충을 쓸어 담듯이 잡아먹는다. (○ , ×)

3. 독수리는 부리가 튼튼하고 끝이 갈고리처럼 휘어져 고기를 찢기에 알맞다.

(○ , ×)

4. 오리는 물고기를 뜰채처럼 떠서 잡아 먹는다. (○ , ×)

5. 마도요는 갯벌 속의 게를 잡아먹기 알맞다. (○ , ×)

188쪽 정답 **1** 1. ○ 2. × 3. ○ 4. × 5. × **2** 1. ○ 2. ○ 3. × 4. ×

6 생물이 환경에 적응한 예

다음은 새의 환경 적응에 관한 내용입니다.

• 새의 부리 모양이 먹이에 따라 다른 것은 새들이 먹이를 얻을 수 있도록 환경에 적응했기 때문입니다.

다음의 새 그림을 자세히 보고, 각 새의 부리 모양을 바르게 연결해 보세요.

1. 참새 •

• ㉠ 부리가 가늘고 길다.

2. 왜가리 •

• ㉡ 부리가 납작하고 양쪽 가장자리가 빗살 모양이다.

3. 독수리 •

• ㉢ 부리가 길고 뾰족하며 아래로 활 모양으로 굽어져 있다.

4. 오리 •

• ㉣ 부리가 짧고 뾰족하다.

5. 마도요 •

• ㉤ 부리가 튼튼하고 끝이 갈고리처럼 휘어졌다.

189쪽 정답 **3** 1.× 2.○ 3.× **4** 1.○ 2.× 3.○ 4.×

마법천자문 과학 퀴즈북 1 - 동물의 세계

글 아울북 초등교육연구소
삽화 서규석

1판 1쇄 인쇄 2009년 8월 17일
1판 1쇄 발행 2009년 8월 21일

펴낸이 김영곤
펴낸곳 (주)북이십일 아울북
개발실장 이유남
기획 개발 신정숙, 김수경, 조국향, 안지선, 이장건
마케팅 김보미, 이태화, 배은하
영업 이희영, 김태균, 정원지
디자인 표지_최은, 본문_이선주
편집 다우

주소 경기도 파주시 교하읍 문발리 파주출판문화정보산업단지 518-3(413-756)
연락처 031-955-2708(마케팅), 031-955-2116(영업), 031-955-2157(내용문의)
홈페이지 www.keystudy.co.kr
출판등록 제10-1965호 Copyright@2009 by 아울북. All rights reserved

값 8,500원
ISBN 978-89-509-1978-8
ISBN 978-89-509-1992-4(세트)